지리쌤의 디스이즈 QGIS

발 행 | 2024년 07월 02일
저 자 | 이건
펴낸이 | 한건희
펴낸곳 | 주식회사 부크크
출판사등록 | 2014.07.15.(제2014-16호)
주 소 | 서울특별시 금천구 가산디지털1로 119 SK트윈타워 A동 305호
전 화 | 1670-8316
이메일 | info@bookk.co.kr

ISBN | 979-11-410-9226-9

지리쌤의

디스이즈
QGIS

Part 1 처음 만나는 QGIS

Part 2 통계지도 그리기

Part 3 공간분석

부록

지리쌤에게 GIS는 사실 가깝고도 먼 존재입니다. 분명 대학에서는 유용하고 앞으로 더 중요해질 것이라고 배웠는데, 막상 현장에서는 '수업에서 가능한가?'라는 생각이 먼저 드는 것이 사실입니다.

이미 시중에는 GIS 책들이 꽤 많습니다. 온라인 동영상도 검색만 하면 나옵니다. 하지만 지리쌤에게는 선뜻 손이 가질 않습니다. 어려운 전문용어가 자주 등장하고, 해당 기능은 대체 어디에 써야하는지 막막합니다.

디스이즈쌤으로 학생들을 만나고 있습니다. 운이 좋게 지난 3년간 고등학교에서 '공간 정보와 공간 분석' 과목을 담당했습니다. 시행착오도 겪었고, 뿌듯한 순간도 있었습니다. 이 책은 지리쌤이 고등학교에서 했던 GIS 수업의 기록입니다.

GIS의 기원과 작동 원리, 멋지고 훌륭한 공간 분석 기법 등은 이 책에서 다루고 있지 않습니다. 데이터나 아이디어를 지도로 시각화하는 노하우에 무게중심을 두고 있습니다. GIS 전문 서적이라기보다는 지리쌤을 위한 GIS 학습자료에 가깝습니다. 동아리나 학교자율과정 등 여건에 따라 학생들과 함께 활용할 수도 있을 것이라고 기대합니다.

교실에는 다양한 관심사와 진로를 가진 학생들이 있고, 지리 수업을 듣는 모든 학생이 지리학자가 될 것은 아닙니다. 그래도 GIS는 가르칠 가치가 있는 도구라고 생각합니다. 지리정보를 표현하는 가장 좋은 수단은 '지도'이기 때문입니다. GIS를 통해 누구나 자신만의 지도를 그릴 수 있는 세상이 오길 바랍니다.

교무실에서 지리 선생님의 모니터에 지도가 떠 있는 모습이 자연스러워지면 좋겠습니다. 이 책이 첫 걸음마가 되었으면 합니다.

스텝1 QGIS와 만나기

QGIS 누리집 접속 ☞ 파일 다운로드 ☞ 설치 ☞ 실행

※ 국외 데이터는 활용하기 전에 학생들에게 교육적으로 적절한 것인지 고려가
필요합니다.

왜 QGIS일까요?

과거 전문가만 쓰는 비싼 프로그램이었던 GIS 소프트웨어는 최근 Web GIS를 넘어 모바일 GIS로 확장되고 있습니다. 그래픽 소프트웨어를 대표하는 어도비의 포토샵처럼, GIS는 Esri의 ArcGIS가 있습니다. 한국에스리에서는 다양한 교육 프로그램을 운영하기 때문에, 관심 있는 분들은 참여하셔도 좋습니다.

이미 많은 지리쌤들은 구글 어스, SGIS, 브이월드 등 다양한 GIS를 수업에서 활용하고 계십니다. 그럼에도 불구하고 QGIS를 쓰는 이유가 있습니다. 무엇보다 QGIS는 공짜입니다. 오픈소스 프리웨어라는 장점은 엄청납니다. 관리자 계정을 만들 필요도 없고, 정보부 선생님께 예산을 문의하지 않아도 됩니다. 설치만 하면 인터넷에 연결되지 않아도 PC에서 실행할 수 있으며, GIS 소프트웨어의 파일 형식이 대부분 호환되기에 지리정보를 직접 열어보고 가공할 수 있습니다. 전문가들도 QGIS를 많이 활용하는 만큼, 학교 현장에서 학생들이 그리고 싶은 지도는 QGIS로 충분히 만들 수 있습니다. 20년 전으로 거슬러 간 듯한 투박한 인페이스나 오류가 나서 튕기는 등 자잘한 단점은 있지만, QGIS는 확실히 유용한 지리교육 도구입니다.

GIS는 Geographic Information System의 줄임말입니다. '지리정보체계'라고 부릅니다. 최근에는 Geographic Information Science로 의미가 확대되어 '지리정보과학'이라고 부르기도 합니다.

QGIS를 설치하기

브라우저의 주소창에 qgis.org를 입력하면 QGIS의 누리집으로 연결됩니다. 다운로드 화면에 들어가면 최신 버전과 LTR버전이 있습니다. LTR은 Long Term Release의 약자인데, 오랜 기간 오류를 수정하면서 상대적으로 안정화되었다는 뜻입니다. 윈도우, 맥, 리눅스 등 사용하는 PC의 상태를 확인하고, PC의 운영체제에 맞게 LTR 버전으로 다운로드합니다. LTR이라고 되어있는 부분을 클릭하면 설치 파일을 다운로드할 수 있습니다.

누리집 기본 화면입니다.

QGIS는 많은 사람의 뜻을 모아 만들어낸 공동의 창작물입니다. 혹시 경제적으로 여력이 되신다면 후원을 하셔도 됩니다.

다운로드 화면입니다.

 Tip!

설치 파일의 용량이 상당히 큽니다. 다운로드 중에 오리엔테이션을 진행하면 학생의 시간을 낭비하지 않을 수 있습니다.

설치가 완료되면 초록색 Q 모양의 아이콘이 생깁니다.

QGIS Desktop은  모양의 아이콘을 눌러 실행할 수 있습니다.

QGIS를 실행하면 볼 수 있는 기본 화면입니다.

화면의 왼쪽과 오른쪽에 있는 탐색기, 레이어, 공간 처리 툴박스 옆에 띄워놓으면 작업을 도와줍니다. [보기] – [패널]을 통해 켜고 끌 수 있습니다.

탐색기를 통해 파일의 위치를 찾을 수 있습니다. 실습을 하다 보면 파일이 많아지는데, 여기저기에 흩어지면 찾기가 어렵습니다. 처음부터 GIS 자료를 모아 놓을 폴더를 하나 새로 만들어 놓는 편이 좋습니다. [즐겨찾기]를 마우스로 오른쪽 클릭하여 [디렉터리 추가]를 누르면 즐겨찾기에 추가할 수 있습니다.

레이어는 다소 어려운 개념인데, 포토샵 등 그래픽 툴에 익숙한 학생들은 쉽게 이해하기도 합니다. 레이어를 아주 투명한 유리라고 생각하고, 여러 장의 레이어를 포개서 원하는 지도를 만들 수 있다고 이해하면 됩니다. 레이어는 위아래가 있어서, 위에 있는 레이어에 가리면 아래 있는 레이어는 보이지 않습니다.

처음부터 욕심을 너무 많이 부리면 나중에 지치기 쉽습니다. QGIS 설치가 잘 이루어져 실행이 가능하다면 이번 시간은 마무리하겠습니다.

스텝2 GIS 자료 구하기

국토지리정보원 ☞ 세계지도 다운로드
Natural Earth ☞ 세계지도 다운로드

※ 국외 데이터는 활용하기 전에 학생들에게 교육적으로 적절한 것인지 고려가
필요합니다.

GIS의 재료, 공간정보 수집

재료가 있어야 음식을 만들 듯, QGIS도 지리정보가 있어야 합니다. 따라서 지리정보를 수집하는 과정이 반드시 필요합니다. 해안선, 국가 등 일반적으로 많이 쓰는 기본적인 지리정보를 가지고 있으면 배경 지도로 활용하기 편리합니다. 그 위에 다양한 주제의 지도를 얹을 수 있기 때문입니다.

국토지리정보원은 우리나라의 지리정보를 관할하는 곳입니다. 그래서 국토지리정보원에서는 세계지도, 대한민국주변도, 대한민국전도에 대한 다운로드 서비스를 제공하고 있습니다. 국토정보플랫폼 누리집에서 다운로드 가능합니다.

국토지리정보원의 국토정보플랫폼 누리집입니다.
[공간정보] - [바로e맵] - [소축척지도 내려받기]를 통해 지도 파일을 받을 수 있습니다.

> **디스이즈**
> **지리지식**
>
> 지도에는 축척(Scale)이 있습니다. 지도는 지구 표면의 모습을 실제보다 작게 줄인 것이기 때문입니다. 지도에서 줄인 비율을 축척이라고 하는데, $\frac{1}{n}$로 줄였다고 생각하면 이해가 쉽습니다. 적게 줄일수록 값이 커지고, 많이 줄일수록 값이 작아집니다. 그래서 좁은 지역을 자세히 나타낸 지도는 축척이 큰 지도이고, 넓은 지역을 대충 그린 지도는 축척이 작은 지도입니다.

소축척지도 내려받기 화면입니다.
[세계지도], [SHP]를 누르면 세계지도의 SHP파일 목록이 제시됩니다.

다운로드한 파일은 압축파일 형태입니다. 압축을 모두 풀어야만 QGIS에서 열어볼 수 있습니다. 폴더마다 같은 이름을 가진 4~6개 정도의 파일이 있는 것을 확인할 수 있습니다. 사실 이 파일들은 세트라서 항상 같이 다녀야 합니다. GIS 파일을 모으려고 만든 폴더에 압축 푼 파일 전체를 옮겨두면 나중에 두고두고 작업하기 좋습니다.

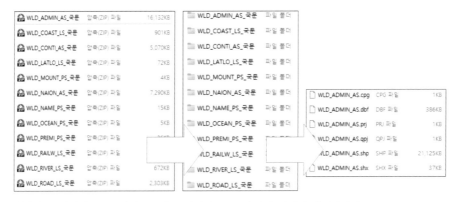

해안선, 국가경계, 도로, 하천 등 압축 파일이 모두 각각의 레이어 파일입니다.

국토지리정보원의 국토정보맵은 국내의 다양한 지리정보를 지도로 확인하면서 다운로드할 수 있는 서비스입니다. 과거의 지형도나 위성영상 등이 풍부하고, 북한 정보도 제공하기 때문에 국토의 변화상을 파악하는 수업에서 특히 활용하기 좋습니다.

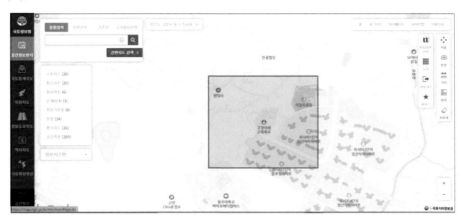

[국토정보맵]에서 마우스 오른쪽을 클릭하고 돋보기 모양의 [공간검색]을 할 수 있습니다.
수치지형도, 정사영상, 종이지도 등 다양한 지리정보를 제공합니다.

국토통계지도에서는 최대 100m 격자 단위로 지리정보를 제공해주고 있습니다. 고등학생 인구, 35년 이상인 건축물 등 상세하게 분류해주기 때문에 입지 분석 등 다양한 활동에 필요한 기본적인 지리정보로 쓰기 좋습니다.

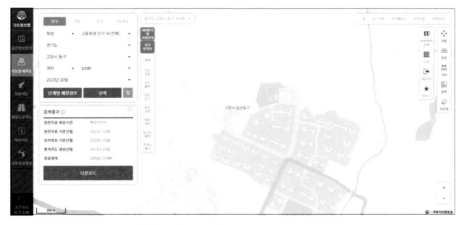

[국토통계지도]를 누르면 다양한 통계정보를 확인할 수 있습니다.

꼭 국토지리정보원에서만 지리정보를 얻을 수 있는 것은 아닙니다. 세계에 대한 자세한 정보가 있는 Natural Earth가 대표적입니다. naturalearthdata.com에 접속하면 축척별로 다양한 지리정보를 얻을 수 있습니다.

Natural Earth의 내려받기 화면입니다. 자주 쓰는 어지간한 정보는 거의 다 제공됩니다.

축척이 작은 지도는 세계지도를 작업할 때, 축척이 큰 지도는 말라카 해협이나 미국 동부 메갈로폴리스 등 확대된 모습이 필요할 때 유용합니다.

1:10m Physical Vectors

Download all 10m physical themes (49.99 MB) version 5.1.1

Files have been downloaded 2,050,370 times.

NOTE: Version number indicates the update cycle when that theme was last updated. An older version number indicates updates have not been necessary since then.

Coastline

Includes major islands.

Download coastline (2.93 MB) version 4.1.0

About | Issues | Version History »

Natural Earth는 자연지리와 인문지리로 구분하여 지리정보 파일을 제공합니다.

국내의 지리정보가 필요한 경우에는 브이월드에서 내려받기 가능합니다. 오픈 마켓에서 검색하면 공공기관이 가지고 있는 다양한 정보를 확인할 수 있습니다.

[공간정보다운로드] - [오픈마켓]에서 필요한 정보를 확인할 수 있습니다.
우리나라의 정확한 행정구역 정보가 필요한 경우 통계청 경계를 내려받으면 편리합니다.

지리정보(Geographic Information)는 공간정보와 속성정보가 있습니다. 공간 정보는 위치나 형태에 대한 정보이고, 속성정보는 자연이나 인문적 특성에 대한 정보입니다.

신뢰할 수 있는 출처

공간정보만 있다고 지도를 그릴 수 있는 것은 아닙니다. 지도의 대부분은 표현하고자 하는 주제가 있습니다. 따라서 해당하는 주제에 대한 속성정보도 함께 가지고 있어야 합니다.

예를 들어 국가별 재생에너지 생산량을 지도로 표현하고 싶다고 생각해봅시다. 일단 지도에서 국가에 해당하는 모습을 확인할 수 있는 레이어가 있어야 합니다. 그리고 각 국가별 태양광, 풍력, 수력 등 재생에너지 생산에 대한 정보가 있어야 합니다. 앞에서 국토지리정보원이나 내추럴어스가 제공하는 파일을 내려받는 것은 대체로 공간정보를 얻는 과정에 해당합니다.

그래서 필요한 속성정보를 수집하는 것도 중요합니다. 국외 자료는 대체로 영어로 되어 있기 때문에, 검색을 영어로 하는 것이 좋습니다. 데이터를 내려받기 할 때에는 신뢰할 수 있는 출처임을 확인해야 합니다. 그래서 국제기구에서 제공하는 데이터는 신뢰성이 높을 뿐만 아니라 정리가 잘 되어 있어 편리하기 때문에 추천합니다.

예를 들어 세계의 인구에 대한 정보를 얻고 싶은 경우 UN의 경제사회국(DESA)에서 제공하는 인구추계가 좋습니다. [Download Data Files]를 누르면 총인구, 성비, 인구밀도, 중위연령, 조출생률, 합계출산율, 기대수명 등 인구구조에 대한 다양한 지표를 확인할 수 있습니다. 국제 이주에 대한 정보가 필요한 경우에는 [International Migrant]에서 시기별, 출신지별, 도착지별로 다양하게 제공하고 있습니다. 이외에도 도시화율 등의 자료도 제공합니다.

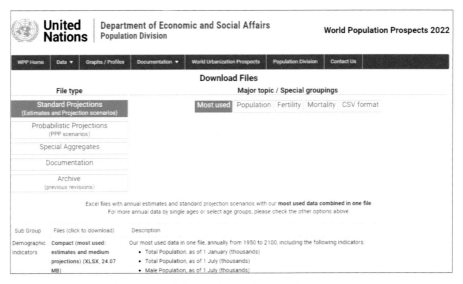

UN DESA에서는 인구와 관련된 다양한 속성정보를 제공하고 있습니다.

식량이나 작물에 대한 정보는 유엔식량농업기구(FAO)나 미국의 농무부(USDA), 에너지에 대한 정보는 국제에너지기구(IEA) 등을 찾아보는 것이 좋습니다.

국내의 정보는 공공데이터포털에서 구할 수 있습니다. 공공데이터포털은 data.go.kr으로 접속하면 됩니다. 당연히 한국어로 되어 있고, 정부에서 가지고 있는 수많은 정보를 모아 놓았기 때문에 편리하게 활용할 수 있습니다.

공공데이터포털에서는 다양한 지리정보를 검색하기 편리합니다.

통계청의 데이터도 사용하기 편리합니다. 통계청의 데이터는 국가통계포털에서 검색할 수 있기 때문입니다. kosis.kr로 접속하면 됩니다.

이번에는 지리정보를 수집하는 방법에 대해 살펴보았습니다. 소개된 사이트 이외에도 훨씬 많은 출처가 있으니, 궁금한 자료는 직접 검색하는 습관을 기르면 좋겠습니다.

지리정보가 있어야 QGIS를 활용할 수 있기 때문에, 필요한 정보를 검색하고 수집하는 역량이 필요합니다. 미국, 중국, 일본 등 각 국가에 대한 정보는 해당 국가의 통계청에서도 제공합니다. 다른 나라의 정보를 얻기 위해 자주 사용하는 출처를 정리한 것입니다.

명칭	특징
UN DESA	국제연합의 인구 통계 자료입니다. 인구 구조, 인구 이동, 도시화율 등 다양한 정보를 제공합니다. population.un.org/에 접속하고 [data] 클릭
FAO STAT	세계식량기구의 통계자료입니다. 식량,작물 등 농업과 관련한 다양한 정보를 쉽게 구할 수 있습니다. www.fao.org/faostat

명칭	특징
IEA	세계에너지기구의 Energy Statistics Data Browser에 들어가면 국가별 1차 에너지 등 다양한 정보가 있습니다. www.iea.org/data-and-statistics
Pew Research center	미국의 퓨리서치센터에서는 Religious Composition by Country에서 종교 신자에 대한 정보를 제공해줍니다. www.pewresearch.org에 접속하고 검색
ILOSTAT	세계노동기구의 통계자료입니다. 임금, 노동시간 등 다양한 경제 지표를 파악할 수 있습니다. ilostat.ilo.org/data/
수출입무역통계	관세청에서 제공하는 우리나라의 무역통계입니다. 대상 국가별, 품목별 정보 등을 최신화하여 제공합니다. tradedata.go.kr/
UN Comtrade data	국제연합에서 제공하는 무역통계입니다. 품목별, 국가별, 시기별로 상세하게 제공하고 있습니다. comtradeplus.un.org/
EO Browser	세계의 인공위성이 촬영한 위성영상을 제공해줍니다. apps.sentinel-hub.com/eo-browser/

국내의 지리정보는 다양한 곳에서 제공되고 있습니다. 특히 교통카드로 대중교통에 대한 정보를 파악하는 등 빅데이터는 쓸모 있는 정보가 많습니다. 하지만 신용카드회사의 위치별 매출이나 이동통신사의 생활인구 등 공간 빅데이터는 대체로 유료로 판매됩니다. 따라서 수업에서는 공공기관에서 무료로 제공하는 데이터를 기반으로 하는 것이 좋습니다,

명칭	특징
공공데이터포털	우리나라에서 정부의 수많은 정보를 한 번에 검색할 수 있어서 편리합니다.
브이월드	오픈마켓에서 구할 수 있는 정보가 많습니다. 3D 데스크톱을 설치하면 구글어스처럼 디지털 지구를 살펴볼 수 있습니다.

명칭	특징
국가통계포털	우리나라의 수많은 통계를 한 곳에서 검색할 수 있을 뿐만 아니라 다양한 지역통계도 제공합니다.
지방행정인허가 데이터	건강, 식품, 문화 등 다양한 분야에서 개업일, 위치 등 실생활과 밀접한 정보를 얻을 수 있습니다.
기상자료개방포털	우리나라의 기후와 관련된 다양한 정보를 얻을 수 있습니다.
한국관광데이터랩	내비게이션 목적지, 국가별 관광객 등 여행에 대한 상세한 데이터를 제공해줍니다.

사실 공간 빅데이터의 상당수는 수많은 시민들이 함께 만들어내는 것입니다. 그렇다면 누구나 빅데이터에 접근하고 이용할 권리도 있지 않을까요? 지리 정보를 수집하면서, 데이터의 주인은 누구인지에 대해 생각해보면 좋겠습니다.

스텝3 레이어 편집하기

레이어 열기 ☞ 확대하거나 축소하기 ☞ 순서 바꾸기 ☞ 객체 선택하기

QGIS에서 레이어 열기

![Q] 모양의 아이콘을 누르면 QGIS Desktop을 실행할 수 있습니다. 기본 화면의 가운데에는 지도가 나오는 곳입니다. 왼쪽 위의 탐색기에서 국토지리정보원에서 받아 압축을 풀었던 파일을 열어보겠습니다.

왼쪽의 탐색기 패널에 해안선에 해당하는 [WLD_COAST_LS.shp] 레이어가 있습니다.

기본 화면에서 왼쪽 위 패널은 탐색기, 왼쪽 아래 패널은 레이어입니다. 탐색기 패널에서 파일을 더블클릭하거나, 끌어서 놓으면 레이어가 열립니다. 위쪽 메뉴에서 [레이어] - [레이어 추가] - [벡터 레이어 추가]를 통해 열 수도 있습니다.

해안선 레이어를 연 QGIS의 모습입니다.
해당 파일이 가지고 있는 지리정보를 기반으로 지도가 화면에 표현됩니다.

지도를 확대하고 축소하고 옮기며 보기

지도가 있는 화면에서 확대하거나 축소하여 볼 수도 있습니다. 마우스를 지도에 대고 휠을 올리거나 내리면 됩니다. 돋보기 모양의 아이콘을 클릭하면 확대하거나 축소할 범위를 지정하는 것도 가능합니다.

아래에는 마우스 커서가 지구상에서 어디인지 위치를 알려줍니다.
그리고 해당 화면에서 어느 정도의 축척으로 보여주고 있는지도 알려줍니다.

위쪽 툴바 중에서 [맵 탐색 툴바]에 해당하는 아이콘입니다. 왼쪽에 있는 하얀 장갑 형태의 아이콘은 화면에 보이는 부분을 이동시키는 [맵 이동]입니다. 축척은 바뀌지 않습니다. 돋보기에서 세 방향으로 화살표가 있는 [전체 보기]는 화면에 레이어가 모두 보이게 합니다. 확대나 축소를 너무 많이 하면 해당 레이어의 지도가 어디있는지 찾기가 어려운데, 그럴 때 유용하게 사용할 수 있습니다. 단축키는 [Ctrl]+[Shift]+[F]입니다.

레이어의 순서와 선택

여러 개의 레이어를 열면, 아래쪽 레이어에 위쪽 레이어가 덮여 있습니다. 현재 선택하고 있는 레이어에는 밑줄이 그어집니다. 여러 레이어를 열 수 있지만, 한 번에 하나의 레이어만 선택이 가능합니다. 학생들이 작업을 하다 객체 선택이 불가능하다고 하는 경우의 상당수는 레이어를 선택하지 않아서 발생합니다.

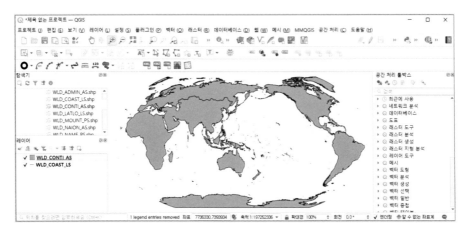

대륙에 해당하는 [WLD_CONTI_AS.shp]을 연 모습입니다.
왼쪽 아래 레이어 패널을 보면 대륙 레이어에 밑줄이 그어져 있습니다.

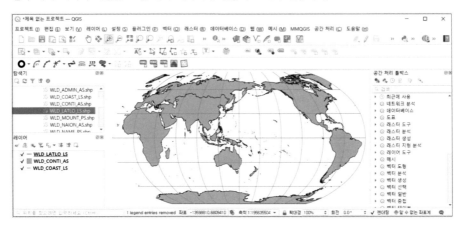

경위선에 해당하는 [WLD_LATLO_LS.shp]을 연 모습입니다.
왼쪽 아래 레이어 패널을 보면 경위선 레이어에 밑줄이 그어져 있고, 가장 위에 있습니다.
따라서 지도에서도 대륙 위에 경위선이 놓여 있습니다.

왼쪽 아래 레이어 패널에서 선택한 레이어를 바꿀 수 있습니다. 다른 레이어를 누르면 밑줄이 그어진 레이어가 바뀝니다. 그럼 밑줄이 그어진 레이어가 선택된 것입니다.

레이어를 끌어서 놓으면 순서를 바꾸는 것도 가능합니다. 순서를 바꾸면 화면에서 보이는 지도의 형태가 달라질 수 있습니다. 위에 있는 레이어에 덮이면 아래에 있는 레이어가 보이지 않는 경우가 있으므로, 표현하고자 하는 모습에 맞게 순서를 잘 배치해야만 합니다.

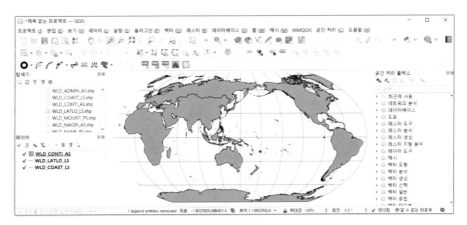

레이어의 순서를 바꾼 모습입니다. 왼쪽 아래 페널에 보면 대륙이 경위선보다 위에 있습니다.
지도 화면에서도 대륙에 닿지 않은 경위선은 보이지만, 대륙에 있는 경위선은 가려졌습니다.

레이어를 화면에서 보이지 않게 하기

레이어의 왼쪽에는 체크박스가 있습니다. 체크박스는 눈에 보일지 말지 여부를
바꿀 수 있습니다. 체크박스가 해제되면 레이어가 보이지 않습니다. 화면에 보이지
않을 뿐이고, 삭제되는 것은 아닙니다.

나중에 QGIS를 사용하다 보면 여러 장의 레이어를 겹쳐서 원하는 지도의 형태를
만드는 경우가 많습니다. 그런 상황에서 너무 많은 지리정보 중에 어느 레이어인지
확인해야 하는 경우 체크박스를 활용하면 됩니다.

대륙 레이어의 체크박스를 해제한 모습입니다.
지도 화면에서도 대륙이 보이지 않으며, 경위선과 해안선만 볼 수 있습니다.

레이어 삭제하기

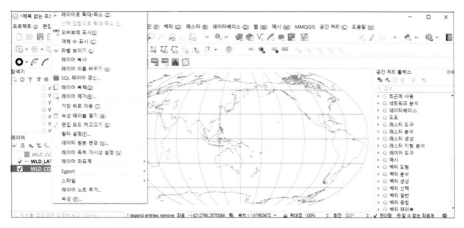

삭제하고 싶은 레이어에 커서를 두고 오른쪽 클릭하면 드롭다운 메뉴가 나옵니다.
여기에서 [레이어 제거]를 선택하면 레이어 삭제가 가능합니다.

레이어가 필요 없는 경우 삭제할 수 있습니다. 레이어를 삭제하면 그 동안 작업한
내용이 사라지기 때문에 경고창이 열립니다. 확인을 누르면 삭제됩니다. 레이어를
삭제하면 프로젝트에서 해당 레이어가 없어진다는 뜻이고, 다운로드 받았던 파일이
삭제되는 것은 아닙니다.

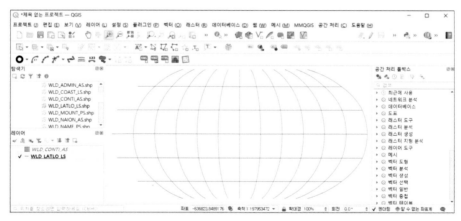

해안선 레이어를 삭제한 모습입니다. 경위선 레이어는 체크박스가 활성화되어 보입니다. 대륙 레이
어는 추가되어 있음에도 체크박스가 해제되어 화면에서 보이지는 않습니다.

필요한 경우에는 삭제한 레이어도 다시 추가할 수 있습니다. 하나의 파일을 여러
레이어로 추가하는 것도 가능합니다.

레이어의 객체 선택

레이어는 보통 여러 객체로 이루어져 있습니다. 그 중에 필요한 객체만 활용하게 됩니다. 객체를 선택하겠습니다.

위쪽 툴바에서 [선택 툴바]에는 네모 위에 커서가 있는 아이콘이 있습니다. [영역 또는 단일 클릭으로 객체 선택]입니다. 지도에 대고 클릭하면 커서에 해당하는 객체가 선택됩니다. 끌어서 놓으면 사각형이 만들어지면서 해당 범위에 있는 객체가 선택됩니다. 선택된 객체는 노랗게 바뀝니다.

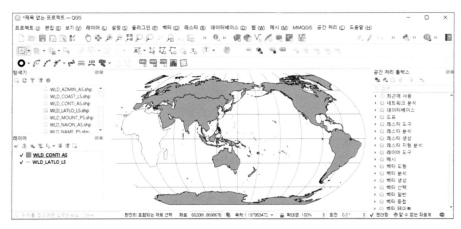

대륙 레이어에서 아프리카를 선택한 모습입니다.

레이어가 가지고 있는 공간정보는 지도에 표현되기 때문에 바로 볼 수 있습니다. 하지만 속성정보는 바로 볼 수는 없습니다. 해당 레이어의 속성정보를 확인하려면 속성 테이블을 열어야 합니다. 왼쪽 아래 레이어 패널에서 커서를 열고 싶은 레이어에 두고 오른쪽 클릭하면, [속성 테이블 열기]를 선택할 수 있습니다. 스프레드시트 형태로 속성 테이블이 열리면, 해당 레이어가 가진 속성정보를 확인할 수 있습니다.

속성 테이블에서는 객체가 몇 개인지, 속성 정보는 어떤 필드로 구분되어 있는지 확인할 수 있습니다. 선택된 객체는 속성 테이블에서 파란색으로 칠해져 있습니다. 다른 객체를 선택하고 싶으면 테이블 왼쪽의 숫자를 클릭하면 됩니다.

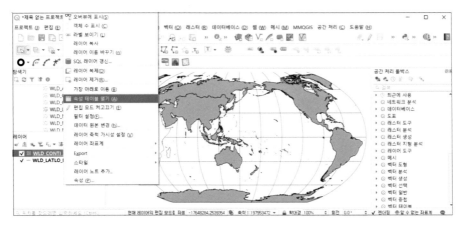

대륙 레이어에서 아프리카를 선택한 모습입니다.

	FTR_IDN	FTR_CDE	CON_ARA	CON_NAM
1	3	WG000	3845813424...	아메리카
2	4	WG000	2366494825...	남극
3	5	WG000	2888611809...	아시아
4	6	WG000	2723323682...	유럽
5	7	WG000	7516191755...	오세아니아
6	8	WG000	1262424046...	NULL
7	1	WG000	2539257822...	아프리카
8	2	WG000	3860898685...	아메리카

속성 테이블이 열린 모습입니다.

객체 복사하고 붙여넣기

선택한 객체는 복사하고 붙여넣기가 가능합니다.

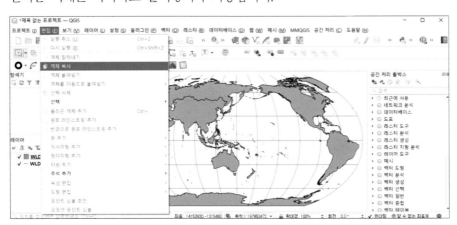

메뉴에서 [편집] - [객체 복사]를 선택하면 복사가 가능합니다.

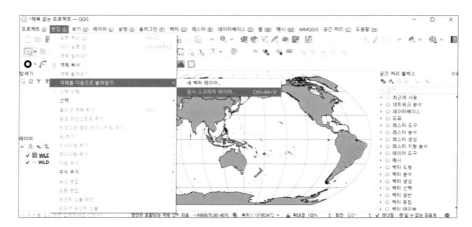

메뉴에서 [편집] - [객체를 다음으로 붙여넣기] - [임시 스크래치 레이어]를 선택하면 붙여넣기가 가능합니다.

복사하기를 하면 클립보드에 해당 객체가 복사된 상태입니다. 붙여넣기를 해야 새로운 레이어가 생기게 됩니다.

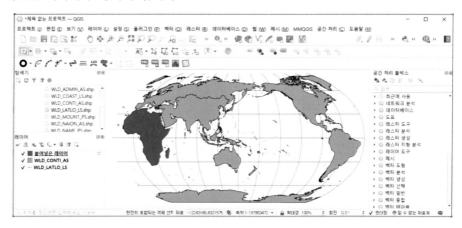

아프리카에 해당하는 레이어가 새로 생긴 모습을 확인할 수 있습니다.

이런 방법을 통해 원하는 레이어를 열고, 객체를 선택하여 복사하거나 붙여넣고, 레이어를 삭제할 수 있습니다.

Tip!

어려운 내용은 아니지만, 처음 접한 경우에는 쉽다는 생각이 들지 않을 수 있습니다. 하지만 기초이기 때문에 익숙해질 때까지 연습하는 것이 좋습니다.

디스이즈

지리정보의 데이터 형태는 벡터와 래스터가 있습니다.

벡터 데이터는 점, 선, 면 등으로 이루어져 있습니다. 각각이 좌표를 가지고 있고, 기하학적인 형태를 가집니다. 벡터 데이터는 경계가 정의되어 있고, 객체 단위로 뚝뚝 끊어져 분명하게 구분되기 때문에 사회과학에 많이 활용합니다. 데이터의 구조가 복잡한 편입니다.

래스터 데이터는 격자 형태를 가지고 있어, 구조가 단순한 편입니다. 보통 정사각형의 셀 단위로 연산이 이루어지는데, 해상도가 정확성과 직접 관련이 있습니다. 실제 세계의 연속적인 공간 현상을 표현하는 경우가 많습니다. 위성 영상이 대표적입니다.

실습은 주로 벡터 데이터를 중심으로 구성했습니다.

스텝4 지리정보 저장과 삭제

레이어 저장 ☞ 프로젝트 저장 ☞ 이미지 저장

※ 한글이 깨지는 경우가 종종 있으므로, 가급적 데이터는 영어로 저장하는 것이 좋습니다.

레이어 저장하기

QGIS로 작업한 결과는 파일로 저장해야합니다. 한컴오피스 흔글은 확장자가 HWPX인 파일로 저장되고, 어도비 포토샵은 확장자가 PSD인 파일로 저장됩니다. 저장하지 않고 종료되어 날아가버린 경험이 있을 것입니다. 그래서 꼭 파일로 저장하는 습관을 들이는 것이 중요합니다.

인도네시아 객체를 복사하고 새로운 레이어로 인도네시아를 만들었습니다.
자세히 보면 레이어 이름 우측에 표시가 있는데, 임시 스크래치 레이어임을 알려줍니다..

일반적으로 새롭게 만든 레이어는 임시 스크래치 레이어입니다. 종료하면 다시는 불러올 수 없게 됩니다. 따라서 작업한 레이어는 그때그때 파일로 저장해야 합니다.

저장하고 싶은 레이어에서 마우스 오른쪽 클릭을 하면, export(내보내기)를 선택할 수 있습니다.

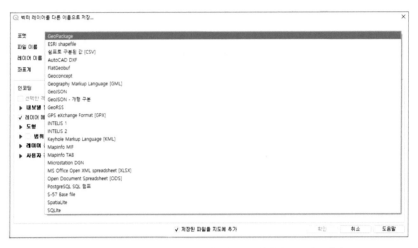

포맷 드롭다운을 누르면 저장하고 싶은 파일의 형태를 선택할 수 있습니다.

벡터 레이어는 GeoPackage 혹은 ESRI shapefile 중 하나의 형태로 저장할 수 있습니다. GeoPackage 파일은 확장자가 gpkg이고 ESRI shapefile은 확장자가 shp입니다. 벡터 데이터를 가진 레이어는 ESRI shapefile 형태로 저장하는 것이 표준이기 때문에, 인터넷에서 내려받을 수 있는 지리정보는 일반적으로 여러 파일을 다 함께 압축하여 제공하는 경우가 많습니다.

Tip!

shp 파일은 레이어 하나를 저장하면 cpg, dbf, prj, qmd, shx 파일도 함께 저장됩니다. shp 파일 한 개만 있다고 QGIS에서 레이어로 열리지 않습니다. 이러한 파일이 모두 온전하게 있어야만 하나의 레이어로 불러올 수 있습니다. 여러 레이어를 작업하는 경우 파일의 숫자가 많아지기 때문에 번거로운 점이 있습니다. 공유하기 위해 압축 파일로 만드는 경우에는 QGIS로 작업하기 전에 다시 매번 압축을 풀어야 합니다.

반면 gpkg 파일은 여러 개의 레이어도 하나의 파일에 저장됩니다. 따라서 gpkg 파일 하나만 있어도 여러 레이어를 불러 올 수 있다는 장점이 있습니다. 학생들과 함께 활동할 예제 파일을 공유할 때는 gpkg 파일로 제공하는 것이 편리합니다.

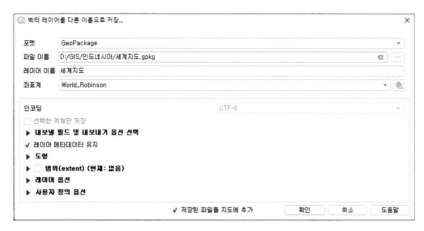

ESRI shapefile의 경우 파일 하나가 곧 레이어기 때문에 레이어 이름이 따로 없습니다.
GeoPackage의 경우 파일 하나에 레이어가 여럿이기 때문에, 레이어 이름을 따로 쓸 수
있습니다.

저장하고 싶은 파일의 위치를 지정하고 [확인]을 선택하면 새로운 파일로 저장할
수 있습니다. 파일이 있으면 QGIS를 껐다가 켜도 다시 불러오는 것이 가능합니다.

화면 가운데의 지도의 위쪽에 초록색 배너로 알림이 떴습니다.
최근에 성공적으로 작업한 것이 무엇인지 알려주는데, 레이어가 성공적으로 저장되었다고 합니다.

탐색기 패널에서 파일을 저장한 위치를 살펴보면, 새로운 gpkg 파일이 생겼음을
알 수 있습니다. 파일 이름의 왼쪽에 삼각형 모양의 버튼을 눌러 드롭다운을 펼쳐
보면 어떤 레이어를 포함하고 있는지 알 수 있습니다.

레이어 패널에서 저장하고 싶은 레이어 이름을 마우스로 끌어서 탐색기 패널의
gpkg 파일에 놓으면 레이어를 더 편하게 저장할 수 있습니다.

프로젝트 저장하기

shapefile이나 geopackage 파일은 각각의 레이어가 가지고 있는 지리정보를 포함하고 있습니다. 하지만 QGIS에서 작업하고 있는 내용을 담고 있지 않습니다. 수업 영상을 제작하는 경우에 클립 영상이 있고, 영상을 불러와 작업한 프로젝트가 있는 것과 유사합니다. 마찬가지로 QGIS도 각 레이어가 있고, 레이어를 불러와 작업한 프로젝트가 있습니다. 어떤 레이어가 얼마나 있는지, 순서가 어떻게 되는지 등은 프로젝트에 저장되는 내용입니다. 따라서 다음에도 QGIS로 이어서 작업을 하려면 프로젝트를 저장해야 합니다.

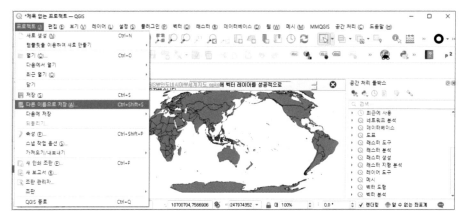

[프로젝트] - [다른 이름으로 저장]을 선택하면 프로젝트를 저장할 수 있습니다.

QGIS의 프로젝트는 qgz 형식으로 저장됩니다.

 qgz 파일은 이렇게 문서처럼 생긴 초록색의 아이콘을 가지고 있습니다.

Tip!

qgz파일은 프로젝트만 저장되어 있고, 각각의 레이어 파일은 함께 저장되지 않습니다. 따라서 작업하던 레이어 파일을 삭제하거나 다른 위치로 옮기면 QGIS에서 불러올 수 없습니다.

QGIS 프로젝트를 공유할 때는 qgz파일과 레이어 파일을 함께 공유해야만 보이는 상태 그대로 다른 곳에서도 열어볼 수 있습니다.

파일 이름 변경 및 삭제

프로젝트 파일이나 레이어 파일의 이름을 바꾸거나 삭제하는 것도 가능합니다. 물론 파일이 위치한 폴더를 열어 직접 이름을 바꾸거나 삭제할 수 있지만, shapefile은 여러 파일의 이름을 함께 바꿔야만 하므로 QGIS의 탐색기 패널에서 작업하는 것이 편리합니다.

탐색기 패널에서 원하는 파일을 오른쪽 클릭하고 [관리]를 선택하면 이름을 바꾸거나 삭제할 수 있습니다.

이렇게 파일을 삭제하는 경우 휴지통에 들어가기 때문에, 복구하는 것이 아니면 되돌리기 어렵습니다. 따라서 불필요한 파일만 삭제해야 합니다.

이미지로 저장하기

HWP 파일은 한컴오피스가 있어야 열어볼 수 있고, PPT 파일은 마이크로소프트 오피스가 있어야 열어볼 수 있습니다. 마찬가지로 shapefile이나 geopackage 등의 레이어 파일은 GIS 소프트웨어가 있어야만 열어볼 수 있습니다. QGIS 프로젝트를 저장한 qgz파일은 QGIS가 설치되어 있어야만 열어볼 수 있습니다. 따라서 상대방에게 GIS가 없다면 쓸모가 없는 파일이 됩니다.

그래서 현재 화면에 보이는 지도를 편집하지 않을 때는 이미지로 저장하는 것이 공유하기에 더 편리합니다. 이미지 파일은 문서 등에도 삽입할 수 있고, 메신저로 전송하거나 열어서 보기도 좋습니다.

[메뉴] - [가져오기/내보내기] - [지도를 이미지로 내보내기]를 선택하면 지도를 이미지로 저장할 수 있습니다.

새로 열린 창에서 이미지 저장의 화질을 선택해주고, [저장]을 선택하면 원하는 위치를 지정할 수 있습니다.

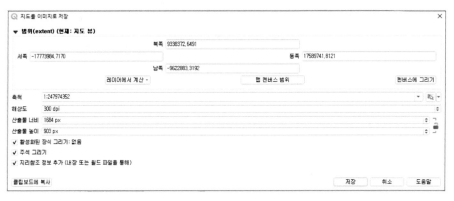

[클립보드에 복사]를 선택하면 다른 프로그램에서도 붙여넣기가 가능합니다.

Tip!

이미지 파일은 해상도가 중요합니다. 인쇄를 염두에 두고 있는 경우 300 dpi 이상이면 일반적으로 크게 문제가 없는 편입니다.

이미지 파일로 저장하는 형식은 jpg인 경우가 많습니다. 하지만 투명에 대한 정보를 저장하고 싶은 경우에는 png를 사용하는 것이 좋습니다.

내가 만든 지도를 누리소통망서비스(SNS)를 이용해 다른 친구들에게 전송하거나, 스마트폰이나 태블릿으로 보여줄 수 있습니다. 그리 대단하지 않은 지도일지 모르지만, 그래도 직접 만들었기 때문에 훨씬 뿌듯할 것입니다.

자주 사용할수록 점점 익숙해지고, 익숙해지면 더 많이 활용하게 됩니다.

앞으로 나오는 내용도 따라서 실습하다 보면 어느새 QGIS가 익숙해질 것입니다. 지도가 필요한 곳이라면 어디든 GIS는 도움을 줄 수 있습니다. GIS를 활용하는 것이 자연스러워지면, 동아리 활동이나 탐구 수업에서도 활용할 수 있게 됩니다.

스텝5 레이어 시각화

선 면 색 패턴 ☞ 라벨

※ 출제용 백지도를 그리는 경우 행정구역, 행정경계, 해안선 등 필요한 레이어를 모두 추가하고 각각의 레이어를 시각화하면 편리합니다.

레이어의 선과 면

지도는 지리정보를 눈에 보이는 형태로 만든 것입니다. 따라서 지리적 시각화는 매우 중요한 의미를 가지고 있습니다. 빨간색은 눈에 잘 띄는 특성이 있으며, 위험하다는 느낌을 전달합니다. 지도에서 파란색은 바다를, 초록색은 녹지를 나타내는 경우가 많습니다. 따라서 지도에서는 지리정보를 정확하게 표현해야 지도를 제작한 사람의 의도가 잘 전달될 수 있습니다.

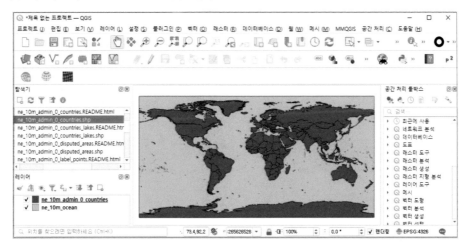

Natural Earth에서 다운로드한 10m 축척의 countries와 ocean을 레이어를 추가했습니다.
국토지리정보원은 태평양이 가운데 오는 지도를 제작하지만, Natural Earth는 대서양이 가운데 오는 지도를 제작합니다.
현재 국가 레이어는 빨간색, 바다는 노란색으로 칠해져 있습니다.

기본적으로 새로운 레이어가 추가되면, 칠해져 있는 색은 랜덤으로 부여됩니다. 따라서 내가 전하고 싶은 정보가 제대로 전달되지 않을 수 있습니다. 내가 전달하려는 정보가 잘 전달될 수 있게 색을 바꾸는 과정이 필요합니다.

예를 들어 국가는 하얗게, 바다는 파랗게 바꾸고 싶을 수 있습니다. 이러한 경우에는 바꾸고 싶은 레이어를 마우스 오른쪽 클릭하고, [속성]을 눌러 [레이어 속성]이라는 창에서 변경하면 됩니다. [레이어 속성] 창에서 왼쪽에 탭을 보면 위에서 세 번째에 페인트 붓 모양의 아이콘과 함께 [심볼]이라는 항목이 있습니다. [심볼]에서 레이어의 각 객체를 어떻게 시각화할 것인지 결정할 수 있습니다.

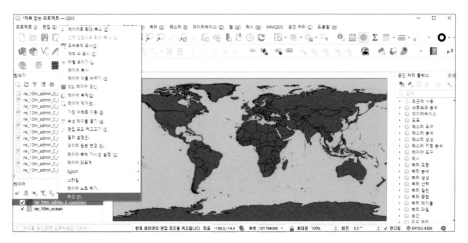

레이어에서 오른쪽 클릭하고 [속성]을 선택합니다.

[심볼]에서 레이어에 있는 객체를 구체적으로 어떻게 칠할 것인지 선택할 수 있습니다. 기본적으로 [단일 심볼]에 [단순 채우기]로 되어있습니다.

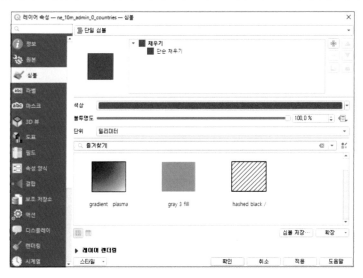

왼쪽 탭을 보면 위에서 세 번째에 [심볼]이 있습니다.

Tip!

[즐겨찾기] 오른쪽의 아이콘을 선택하면 [스타일 관리자]가 열립니다. 자주 사용하는 스타일을 저장해두면 편리합니다.

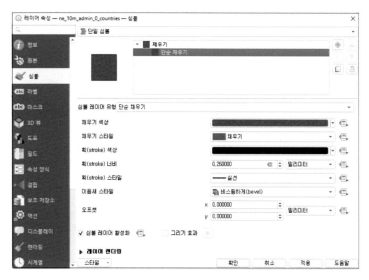

[단순 채우기]를 누르면 세부적인 사항을 선택할 수 있습니다.

[채우기 색상]에 있는 색이나 드롭다운 단추를 누르면 팔레트가 열리면서 원하는 색상을 선택할 수 있습니다. 객체에 칠해져 있는 색상이 어떻게 변화하는지 왼쪽 위의 예시를 통해 확인할 수 있습니다. [획 색상]도 마찬가지로 색상을 선택할 수 있습니다. [획 너비]는 기본적으로 0.26mm로 설정되어 있는데, 원하는 값을 입력할 수 있습니다.

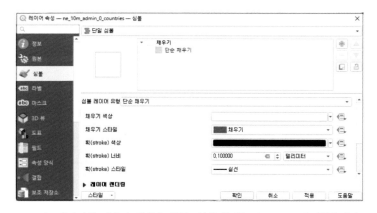

countries레이어의 채우기 색상은 흰색, 선의 두께는 0.1mm로 수정했습니다. 왼쪽 위의 미리보기 화면에서 하얀색으로 칠해지고, 경계선의 두께가 비교적 얇아진 모습을 확인할 수 있습니다.
[적용]버튼을 누르면 지도 화면에서 바뀐 모습을 볼 수 있습니다.

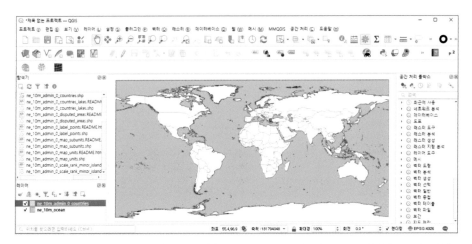

countries레이어의 객체가 하얀 색으로 칠해지고, 선의 두께는 얇아진 모습을 확인할 수 있습니다.

이러한 방법을 통해 객체 안쪽에 칠해진 색, 객체 테두리의 색이나 두께 등을 원하는 모습으로 변경할 수 있습니다.

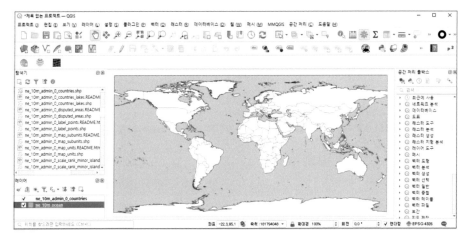

같은 방법으로 ocean레이어를 하늘색으로 변경한 모습입니다.

라벨 붙이기

지도에서는 지명 등의 정보를 전달하기 위해서 이름표를 붙여야 합니다. 이렇게 이름표를 붙이는 과정을 살펴보겠습니다. 레이어를 오른쪽 클릭하여 [속성]을 선택하고, 왼쪽 탭의 위에서 네 번째 [라벨]에서 원하는 대로 바꿀 수 있습니다.

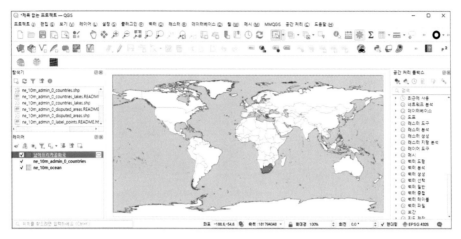

countries레이어에서 남아프리카공화국만 복사하여 새 레이어를 만들었습니다.

[레이어 속성]에서 [라벨]을 선택하면, 기본적으로 [라벨 없음]입니다. 드롭다운 메뉴를 선택하여 [라벨 없음]을 [단일 라벨]으로 바꾸어주면, 이름표를 표시할 수 있게 됩니다.

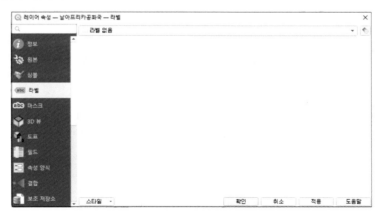

[레이어 속성]의 네 번째 탭인 [라벨]을 선택한 모습입니다.

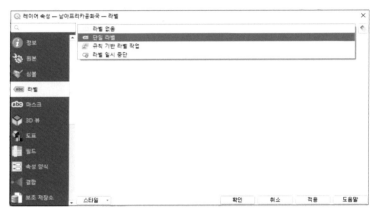

[라벨 없음]인 드롭다운 메뉴를 선택하여 [단일 라벨]을 선택합니다.

라벨은 기본적으로 속성 정보에 있는 값을 텍스트 형태로 표현해주는 것입니다. 따라서 가장 먼저 [값]에서 어떤 이름표를 붙여줄지 선택해야 합니다. 일반적으로 지역의 이름을 표현하지만, 필요에 따라 다른 속성 정보도 선택할 수 있습니다.

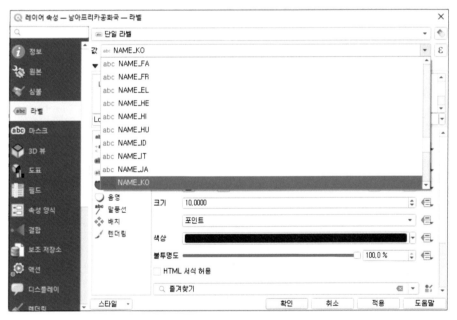

[값]의 드롭다운 메뉴를 눌러 이름표를 붙일 필드를 속성 정보에서 선택하는 모습입니다. Natural Earth의 countries 레이어는 속성 정보를 풍부하게 제공해주는 편입니다. NAME_KO가 한국어로 되어있는 국가의 명칭입니다.

라벨의 [텍스트]에서는 이름표에 붙을 텍스트의 글꼴이나 크기, 색상 등을 변경할 수 있습니다.

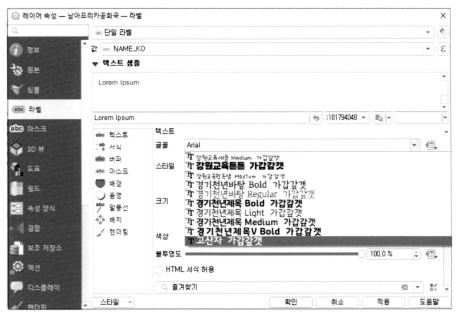

[텍스트]의 [글꼴]의 드롭다운 메뉴를 선택하면 컴퓨터에 설치된 글꼴의 목록을 볼 수 있습니다. 고산자체는 국토지리정보원에서 개발한 바로e맵의 전용서체입니다. 지도의 특성상 글자를 촘촘히 작게 쓰는 경우가 많은데, 글자와 글자 사이나 획과 획 사이에도 공간을 확보하고 가독성을 높인 글꼴입니다. 특히 대동여지도를 제작한 김정호에서 이름이 부여되었다는 점에서 교육적으로 활용하기 좋습니다.

[적용]을 누르면 지도에서 이름표가 붙은 모습을 확인할 수 있습니다.

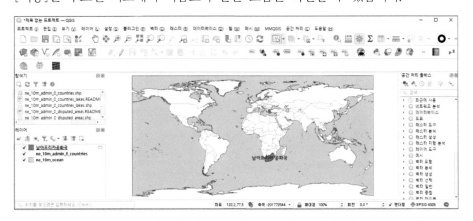

지도에 이름표가 추가되었습니다. 다만 객체에 칠해진 색이 진해 글씨가 잘 보이지 않습니다.

GIS에서 붙인 이름표는 지도의 일부이기 때문에, 해당 화면에서 보일 수 있게 알아서 표현됩니다. 이름표에 위치 정보가 포함되어 있어 화면의 지도를 이동시키거나 확대 및 축소해도 알아서 저절로 표현됩니다.

이름표는 별도의 레이어로 저장되지는 않지만, 순서상으로 레이어보다 위에 있습니다. 따라서 객체보다 먼저 시각화됩니다. 다만 이름표의 특성상 객체에 표현되기 때문에, 칠해진 색이나 테두리 선에 겹치는 경우가 잦습니다. 따라서 글씨를 읽기 편하게 만들어주는 상황이 필요해집니다.

레이어에서 마우스 오른쪽 클릭하여 [속성]을 선택해 열린 [레이어 속성]에서, [라벨]의 [단일 라벨]을 선택하면 나오는 세 번째 항목으로 [버퍼]가 있습니다. [버퍼]에서는 [텍스트 버퍼 그리기]를 체크박스로 선택하고, 세부적인 설정도 가능합니다.

[라벨]에서 [버퍼]를 선택한 모습입니다. [텍스트 버퍼 그리기]를 선택하고 크기나 색상을 선택할 수 있습니다. 텍스트 버퍼는 이름표의 글씨가 잘 보일 수 있게 테두리에 색을 입혀주는 것입니다.

텍스트 버퍼는 이름표에 있는 글꼴의 색이나 객체에 칠해진 색과 구분되는 색을 지정해주는 것이 좋습니다. 하얀 색에 가까운 색상이 기본값으로 주어집니다.

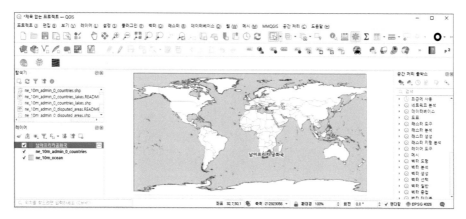

텍스트 버퍼를 씌운 모습입니다. 까만색 글자에 하얀색 테두리가 생겨 글자가 더 잘 보입니다.

지도를 확대한 모습입니다. 이름표의 글씨가 커지지는 않습니다.

이런 방식으로 객체에 이름표를 붙일 수 있습니다.

Tip!

이름표에 붙어 있는 이름은 해당 객체가 가지고 있는 속성 정보입니다. 어떤 속성 정보가 해당 레이어에 있는지 확인하고 싶은 경우 [속성 테이블 열기]를 선택하면 됩니다.

편집 모드 전환

레이어에 저장된 공간정보나 속성정보는 기본적으로 수정되지 않습니다. 수정을 원하는 경우에는 편집모드로 전환해야 합니다. 수정하고 싶을 때는 수정하고 싶을 때에는 편집 모드로 전환해야 합니다.

 연필 모양의 버튼이 [편집 모드 켜고끄기]입니다. 편집모드가 켜지면 레이어 패널에서도 왼쪽에 연필 모양의 아이콘이 등장합니다. 편집모드가 꺼지면 레이어에 연필 모양의 아이콘이 사라집니다. 편집모드에서 편집한 부분이 있으면 저장할지 여부를 물어봅니다. 덮어쓰게 되면 되돌릴 수 없기 때문에, 항상 신중하게 작업할 필요가 있습니다.

편집 모드로 바꾸면 속성 정보도 수정이 가능합니다.
이름표의 이름을 바꿀 수도 있습니다.

Doing Geography

지리 교사는 지도를 사용할 일이 많습니다. 지리정보를 전달하는 가장 좋은 수단이 지도이기 때문입니다. 따라서 교과서, 지도서, 논문, 보고서, 신문기사 등에 제시된 지도는 수업의 필요한 상황에 요긴하게 활용할 수 있습니다. 일반적으로 교실은 빔프로젝터나 스마트TV 등을 이용하기 때문에 다양한 컬러로 채색된 지도가 활용됩니다. 따라서 교사는 수업용 지도를 제시하는 과정에서 시각화로 인해 학생들에게 불필요한 오개념이 형성되는 등의 문제가 없을지 꼭 확인해야 합니다.

지리 교사는 평가에서 지도를 사용할 일이 많습니다. 일반적으로 지필평가에 사용되는 지도는 흑백으로 인쇄하기 때문에, 평가용 백지도에는 노하우가 필요합니다.

육지는 일반적으로 투명하게 처리합니다. 지리 수업이 인간이 거주하는 땅을 기본으로 하기 때문입니다. 바다나 호수 등 수역을 지도에 표현하는 경우 육지와는 구분되어야 하기 때문에 95%의 회색(#f2f3f2)으로 칠합니다.

국가나 행정구역의 일부만 채색하는 경우, 진한 회색으로 채웁니다. 완전히 검게 칠하면 화면에서는 뚜렷하게 잘 보이지만, 대량 인쇄를 위해 빠르게 복사하다 보면 잉크가 마르기 전에 다음 장이 인쇄되어 인쇄용지가 서로 달라붙는 문제가 자주 발생합니다.

해안선은 주로 굵은 실선으로 표현하고, 국경은 대체로 점선으로 표현합니다. 분쟁 중인 경계를 표현하는 경우에는 상대적으로 연한 점선으로 표현합니다. 국내의 행정구역 경계는 위계가 있어 광역자치단체의 경계와 기초자치단체의 경계는 다르게 표현합니다. 헌법 3조에 의해 '대한민국의 영토는 한반도와 그 부속도서'이기 때문에, 남한과 북한을 가로지르는 군사분계선은 절대 국경으로 표현하지 않습니다. 하천, 도로, 철도 등의 정보가 지도에 표현되는 경우, 해당 정보가 잘 드러날 수 있게 시각화합니다.

학교 지필평가에서는 '선생님 지도가 안보여요!'라는 학생들의 문의를 받는 경우가 많습니다. 교과서나 신문 등에서 가져온 컬러 지도를 시험지에 넣으면 특히 더 많아집니다. 지필평가에 쓰이는 지도는 학교 인쇄기 상태를 고려하여, 학생들이 잘 읽을 수 있는 형태로 제시되는 것이 좋습니다.

평가에 필요한 간단한 형태의 백지도는 직접 제작해보는 것도 가능합니다.

스텝6 투영법

투영법 변경 ☞ 좌표계 변경

※ 투영면과의 접점 등을 변경하려면 [설정] - [사용자 정의 좌표계]를 선택하여 [파라미터]에 있는 내용을 수정하여 원하는 형태로 시각화할 수 있습니다.

세계지도에 필요한 도법 선택

지구는 입체이지만, 지도는 평면입니다. 지구를 펼쳐서 지도로 만드는 과정에서 반드시 왜곡이 생겨납니다. 따라서 아무리 제 과학적으로 정밀하게 만들어도 모든 지도에는 반드시 왜곡이 있습니다. 거리, 면적, 형태, 방위 등이 실제와 달라집니다.

지구를 지도로 펼치는 방법을 도법이라고 합니다. 지도를 제작할 때에는 상황에 맞는 도법을 선택해야만 합니다. 바꾸어 말하면 지도에 어떤 왜곡을 넣을지 정하는 것과 같습니다. 이왕이면 표현하려는 지리정보에 대한 왜곡이 적어야 좋습니다.

특히 이 부분에서 GIS가 그래픽 소프트웨어와 극명하게 달라집니다. GIS는 위치 정보를 포함하고 있기 때문에, 필요에 따라 도법을 변경할 수 있습니다. 같은 지리 정보도 어떤 도법을 사용하느냐에 따라 완전히 모습이 달라집니다.

QGIS에서는 화면의 오른쪽 아래에 위치한 구체에 고깔이 씌워진 듯한 아이콘에서 도법에 대한 정보가 제공됩니다. 이를 클릭하면 도법을 변경할 수 있습니다.

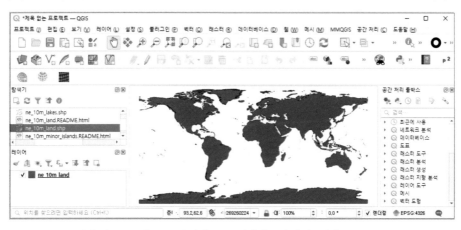

Natural Earth에서 다운로드한 10m 축척의 land 레이어를 추가했습니다.
현재 EPSG:4326임을 알 수 있습니다.

 디스이즈
지리지식

지도에서 표현하고자 하는 정보에 맞는 좌표계를 사용해야 합니다. 세계지도에서는 국제 표준으로 활용되는 WGS84를 기억하는 것이 좋습니다. 투영법에 붙은 고유 번호가 있는데, WGS84를 이용한 좌표계는 EPSG:4326입니다.

[프로젝트 좌표계]는 현재 QGIS에서 어떤 도법으로 지리정보를 표현하고 있는지 알려줍니다. 돋보기 모양이 있는 [필터]에서 원하는 도법의 명칭을 입력하면, 아래 [미리 정의된 좌표계]에서 원하는 도법을 선택할 수 있습니다.

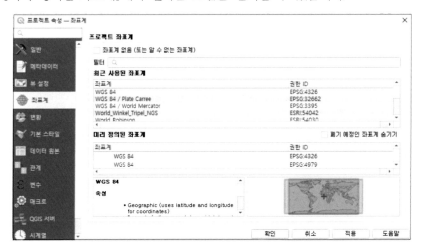

좌표계 버튼을 클릭하여 좌표계를 바꿀 수 있는 창이 열린 모습입니다.

도법에는 많은 종류가 있습니다. 먼 우주에서 본 듯한 모습을 표현할 때는 정사 도법(Orthographic)을 사용합니다. 정사도법으로 변경해보겠습니다.

먼 우주에서 북극을 바라보는 듯한 모습을 표현하기 위해 정사도법을 선택하겠습니다. north pole과 orthographic을 검색하니, 밑에 North_Pole_Orthographic ESRI:102035를 선택할 수 있게 되었습니다.

레이어의 지리정보는 그대로지만, 북극 중심의 도법으로 변경되어 모습이 완전히 달라졌습니다.

이런 방식으로 도법을 변경할 수 있습니다. 도법은 종류가 매우 많으므로, 필요한 상황에 맞추어 적절한 도법을 선택해야 합니다.

디스이즈

지도는 세계관에 영향을 줍니다. 대체로 중요하게 생각하는 지역을 중앙에 배치합니다. 영국을 가운데 놓는 세계지도는 한반도가 지도의 오른쪽 구석으로 가게 됩니다. 따라서 우리나라에서 제작한 세계지도는 대체로 태평양이 중앙에 오며, 특별한 이유가 없는 경우 한반도가 지도의 구석으로 가지 않습니다.

우리나라의 고등학교에서 문항에 제시되는 네모난 형태의 세계지도는 밀러 도법인 경우가 많습니다. 교과서에서는 모서리가 둥그스름한 로빈슨 도법이나 빈켈트리펠 도법 등을 사용하기도 합니다. 이러한 도법은 왜곡을 절충해 만들었기 때문에 메르카토르 도법 등에 비해 불필요한 오해를 덜 사는 편입니다.

러시아나 남극 등 지구의 특정 지역을 표현할 때 세계지도를 잘라서 쓰면 왜곡이 매우 커집니다. 지리부도에 있는 지도는 오랜 고민을 통해 선택한 도법이기 때문에, 지리부도에서 제시한 도법을 사용하면 좋습니다.

레이어 정보 확인과 좌표계 변경

QGIS에서는 프로젝트에서 지도를 보여주는 좌표계도 있지만, 각각의 레이어도 좌표계가 있습니다. 레이어는 파일로 저장될 때 좌표계에 대한 정보가 함께 포함됩니다. QGIS에서는 레이어의 좌표계를 확인하고, 필요한 경우 변경하여 지도화할 수 있습니다.

국토지리정보원의 대한민국전도에서 해안선에 해당하는 coast 레이어를 불러왔습니다.
프로젝트 좌표계가 KOREA 2000 Unified CS인 EPSG:5179임을 확인할 수 있습니다.

레이어의 속성 창을 열고 [정보]를 선택하면 레이어의 좌표계를 확인할 수 있습니다.

지도에서 레이어를 불러왔는데 위치가 틀어진 모습은 대부분 좌표계로 인한 문제입니다.

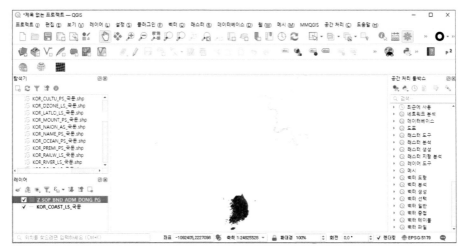

통계청에서 제공하는 행정구역 레이어를 불러왔는데, 두 지도가 서로 동떨어진 곳에 위치합니다.
서로 다른 출처에서 가져온 레이어를 추가하다보면 이런 경우가 종종 발생합니다.
오류가 나는 상황을 가정하여 실습하는 것이므로, 굳이 따라하지 않아도 됩니다.

레이어에서 마우스 오른쪽 클릭하여 [레이어 좌표계]를 선택하면, 최근 사용한 좌표계의 목록이 나옵니다. 원하는 좌표계가 없으면 [레이어 좌표계 설정]을 선택하여 새 창에서 원하는 좌표계를 찾을 수 있습니다.

[레이어 좌표계]에서 해당 레이어의 좌표계를 변경할 수 있습니다.

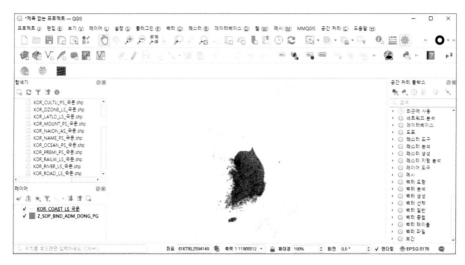

행정구역이 해당하는 위치로 이동한 모습을 확인할 수 있습니다.

우리나라 지도의 좌표계

우리나라는 북반구 중위도에 위치하며 남북으로 길쭉하게 생겼습니다. 우리나라에서 만든 좌표계는 한반도를 정밀하게 잘 표현하기 위한 것입니다. 다만 좌표계가 지리정보를 제공해주는 곳에 따라 서로 다른 경우가 종종 있기 때문에, 레이어의 좌표계를 변경하여 맞추는 작업이 필요합니다. 대부분은 출처에서 어떤 좌표계를 사용했는지 안내되어 있습니다.

디스이즈
지리지식

지구는 울퉁불퉁하기 때문에 지나치게 복잡해서, 측량에서는 매끈하게 생긴 지구타원체를 가정합니다. 우리나라는 과거 도쿄를 기준으로 Bessel 타원체를 이용했습니다. GNSS의 세계 좌표계와 오차도 크고, 일본에 지진이 발생하면 우리나라 좌표까지 틀어졌습니다. 지금은 세계적으로 널리 쓰이는 GRS80을 기반으로 하고 있습니다. 지형도 등에서 쓰는 평면 좌표는 서부, 중부, 동부, 동해의 4개 좌표 원점을 기준으로 합니다.

지도를 보면 세계를 어떻게 바라보고 있는지 읽을 수 있습니다. 다른 나라는 어떤 도법의 세계지도를 사용하는지 살펴보고, 우리는 창의적으로 어떤 지도를 그릴 수 있을지 생각하면 좋겠습니다.

오스트레일리아의 세계지도

프랑스의 세계지도

중국의 세계지도

미국의 세계지도

스텝 7 조판

조판 ☞ 축척, 범례 ☞ 내보내기

조판 창을 열고 지도를 추가하기

QGIS의 화면에서 지도를 볼 수 있지만, 사실 지도는 형식을 갖추어야 완성도가 높아집니다. 지도를 인쇄하거나 이미지 파일로 저장하는 등 필요한 상황에 알맞은 지도를 내보낼 수 있습니다. 이러한 과정을 조판에서 할 수 있습니다.

국토지리정보원의 대한민국 전도에서 coast와 river 레이어를 불러왔습니다.
한반도 일대의 하계망이 화면에 떠 있습니다.

[프로젝트]-[새 인쇄 조판]을 선택하면 새로운 조판 창을 열 수 있습니다.

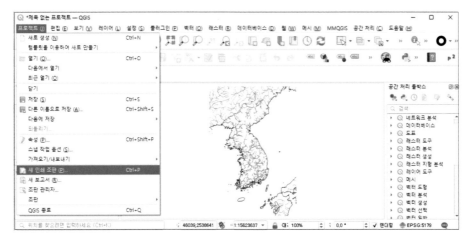

[새 인쇄 조판]에서는 새로운 조판을 만들 수 있습니다.
기존에 작업하던 조판이 있는 경우에는 [조판 관리자]를 통해 원하는 조판을 선택할 수 있습니다.

조판의 이름을 입력할 수 있습니다.
잘못 입력해도 [조판 이름 바꾸기]에서 수정할 수 있으므로 너무 부담갖지 않아도 됩니다.

─ Tip! ──

조판 이름은 'B4 세로 학습활동', '폭 109mm 평가용' 등 규격, 목적 등을
포함하여 저장하면 나중에 확인하기가 편리합니다.
──

[항목 속성]의 [페이지 크기]에서는 최종적으로 내보낼 때 원하는 지도의 도면
크기를 입력할 수 있습니다.

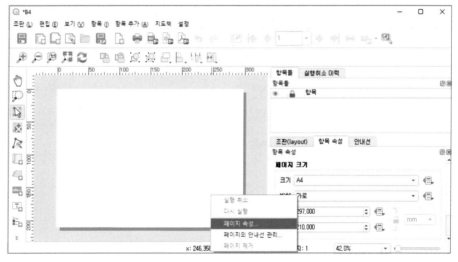

기본적으로 처음 조판을 실행한 모습입니다.
도면에 대고 마우스 오른쪽 클릭하여 [페이지 속성]을 선택하면 페이지 크기를 바꿀 수 있습니다.

[항목 추가] - [지도 추가]를 선택하거나, 좌측에 종이가 말려있는 모습의 아이콘을 클릭하면 지도를 추가할 수 있습니다.

[지도 추가]인 상태로 클릭을 하면 원하는 지도의 크기를 입력할 수 있습니다.
마우스로 끌어서 놓으면 원하는 크기로 넣는 것도 가능합니다.

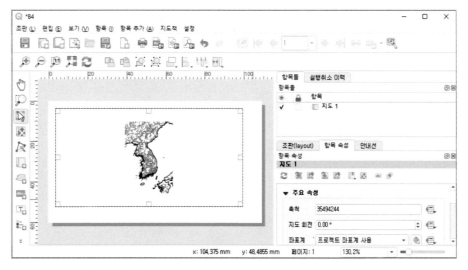

도면에 지도가 추가된 상태입니다.
화면 오른쪽 패널의 [항목들]을 보면 지도1이 추가된 것을 확인할 수 있습니다.
항목들도 레이어와 마찬가지로 순서가 있어 위의 항목이 아래 항목을 덮습니다.

항목과 커서가 있는 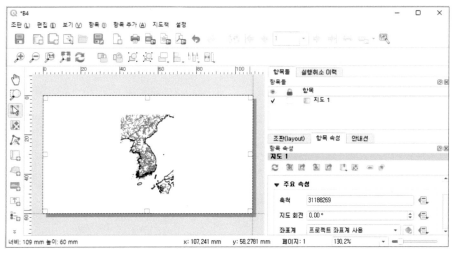아이콘은 [항목 선택/이동]입니다. 모서리의 네모 점을 끌면 도면에서 원하는 크기로 지도의 확대나 축소가 가능합니다. 항목을 마우스로 끌면 항목을 도면에서 원하는 위치로 이동시킬 수 있습니다.

항목을 이동하거나 확대/축소할 때는 보조선이 위치를 맞출 수 있게 도와줍니다.

종이에 사방으로 나가는 화살표가 있는 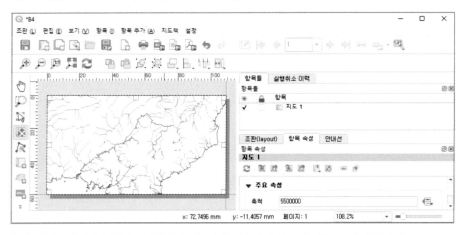아이콘은 [항목 콘텐츠 이동]입니다. 도면에 자리잡은 지도의 항목 크기는 그대로 두고, 지도 내에서 표현되는 공간적인 범위를 바꿀 수 있습니다. 마우스로 끌거나, 휠을 돌려 축척 변경이 가능합니다.

[항목 속성] 패널에서 [주요 속성]의 [축척]값에 정확한 축척 값을 입력할 수 있습니다.

도면에 글자 추가하기

텍스트 상자처럼 생긴  아이콘을 선택하면 글자를 넣을 수 있습니다. 지도는 이름이 있어야 이해하기 쉽습니다. 지도의 이름은 일반적으로 지도에서 다루고 있는 지역이나 표현하고자 하는 지리적인 현상을 붙여줍니다.

[항목 속성] 패널에서 글꼴, 글상자 크기, 테두리, 배경 등을 원하는 형태로 변경할 수 있습니다.

도면에 범례 추가하기

 아이콘을 누르면 범례를 추가할 수 있습니다. 지도에는 다양한 지리정보가 포함되어 있어 간략하게 나타내기 위해 기호가 사용됩니다. 지도에 표현된 요소가 무엇인지 설명해주는 범례는 지도를 구성하는 필수적인 요소입니다.

[항목 속성] 패널에서 범례에 들어갈 내용과 서식 등을 변경할 수 있습니다.

범례는 지도에 포함된 레이어를 알려줍니다. 범례에 필요하지 않은 레이어는 제거하고, 이름은 보는 사람이 알기 쉽게 변경하는 편이 좋습니다.

도면에 축척 추가하기

 아이콘을 누르면 축척막대를 추가할 수 있습니다. 지도는 지구의 표면을 줄여서 표현했기 때문에, 얼마나 줄였는지 축척을 명시해야합니다.

[항목 속성] 패널에서 축척 막대의 형태나 표현 방법 등을 수정할 수 있습니다.
좌표계에 따라 다르지만, 축척 막대를 추가하면 축척은 도면과 지도에 맞게 자동으로 계산됩니다.

제목은 지도가 무엇을 표현한 것인지 알기 쉽게 큰 글씨로 적습니다. 대부분 제목은 도면의 상단이나 하단에 놓습니다.

범례는 도면의 모서리에 놓거나, 아예 지도 밖에 놓기도 합니다. 축척막대는 지도의 내용을 가리지 않는 적당한 곳에 놓는 편입니다.

조판에서는 인덱스맵, 틱, 제작시기, 출처 등을 추가하여 지도에 대한 정보를 친절하게 안내하는 것도 가능합니다.

조판에서 내보내기

완성한 지도는 [조판] - [이미지로 내보내기]를 선택하여 이미지 파일로 저장이 가능합니다. 프로젝트인 qgz파일이나 레이어인 gpkg파일은 GIS 소프트웨어를 통해 작업할 수 있지만, 이미지로 저장하면 어디서든 편리하게 활용할 수 있습니다.

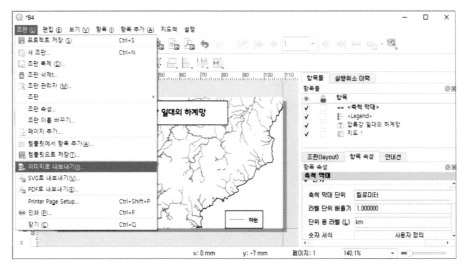

이미지로 내보내면 도면을 png, jpg 등 다양한 형태로 저장할 수 있습니다.

Tip!

이미지로 내보낼 때는 해상도를 설정할 수 있습니다. 인쇄할 목적이라면 300dpi 이상으로 저장하는 것이 좋습니다. jpg는 널리 사용되는 파일 형식으로 비교적 용량도 작습니다. png는 투명 정보가 저장되기 때문에 다른 이미지에 얹어서 사용하기 편리합니다. 이미지는 어도비의 포토샵이나 윈도우의 그림판 등에서 작업이 가능합니다.

PDF로 저장하면 레이어가 가지고 있는 벡터 정보도 저장할 수 있습니다. 벡터 편집이 가능한 어도비의 일러스트레이터는 PDF로 불러올 수 있습니다.

제1화 점지도 그리기

예제 : 지진이 발생한 지점 표현하기

CSV다운로드 ☞ CSV불러오기

※ 점지도(Dot density map)는 점의 밀도로 표현하는 통계지도의 형태입니다. 이번 실습에서는 좌표를 점으로 표현하는 내용을 담고 있습니다. 실제 통계지도로 점지도를 제작하려는 경우 [Dot map] 플러그인을 이용하는 것이 좋습니다.

좌표가 있는 값

공간정보는 위도와 경도처럼 숫자로 표현됩니다. 바꾸어 말하면 수리적 위치를 알고 있는 경우에는 지도에 표현할 수 있다는 뜻이 됩니다. 각각의 좌표가 지도에 점으로 표현되면, 점이 빽빽한 곳과 듬성한 곳의 차이를 확인하여 밀도와 분포를 파악할 수 있습니다.

예제로 전 세계의 지진 분포를 지도화해보겠습니다. USGS에서 지진 데이터를 다운로드하겠습니다.

미지질조사국(USGS)에서는 CSV 형태로 지진 발생 현황을 안내하고 있습니다. USGS의 Earthquake에 대한 csv파일을 검색하여 관련 사이트로 접속합니다.

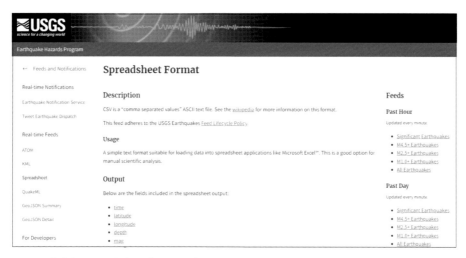

오른쪽 아래에는 csv 파일을 다운로드 받을 수 있는 링크가 있습니다.
[Past 7 Days]의 [All Earthquake]를 선택하면 일주일간 발생한 지진 데이터가 다운로드 됩니다.

CSV는 단순한 형태의 스프레드시트 파일 형식입니다. 마이크로소프트 엑셀이나 한컴 한셀이 설치되어 있으면 편하게 확인할 수 있습니다. 별도 프로그램이 없어도 구글 스프레드시트 등을 이용하면 브라우저에서도 편집 가능합니다.

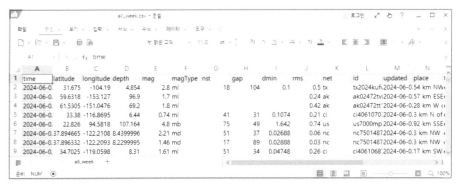

다운로드 받은 파일은 CSV파일을 열어보면, [latitude]열과 [longitude]열에 좌표가 있음을 확인할 수 있습니다. 좌표가 포함된 데이터라는 뜻입니다.

QGIS에서도 CSV파일을 불러올 수 있습니다. 지진이 발생한 정보를 세계지도로 표현할 예정이기 때문에, 세계지도에 해당하는 레이어를 먼저 추가하겠습니다.

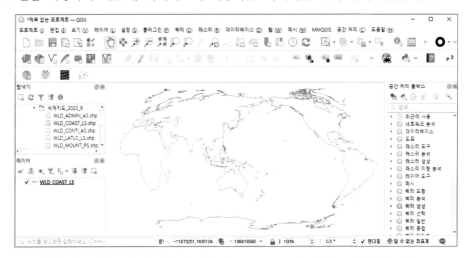

국토지리정보원 세계지도의 해안선에 해당하는 [WLD_COAST] 레이어를 추가하였습니다.

[레이어] - [레이어 추가] - [구분자로 구분된 텍스트 레이어 추가]를 선택하면 CSV 파일을 QGIS로 불러올 수 있습니다.

CSV는 "comma separated values"라는 뜻을 가지고 있습니다. 콤마 등의 구분자로 값을 구분한 텍스트 파일입니다.

파일 이름의 […] 버튼을 눌러 파일의 위치를 찾아 CSV 파일을 선택할 수 있습니다.

[도형 정의]를 펼치면 [도형 없음(속성만 있는 테이블)]을 [포인트 좌표]로 선택할 수 있게 되어 있습니다. CSV파일 내에 좌표에 대한 데이터가 포함된 경우 지도에 점으로 띄울 수 있다는 뜻입니다. 영어로 필드 이름이 있는 경우에는 알아서 들어오기도 하는데, X좌표와 Y좌표가 어떤 필드인지 꼭 선택해야 합니다.

디스이즈

위도는 Latitude, 경도는 Longitude입니다. 경우에 따라서 lat, long 등으로 줄여서 표현하는 경우도 있습니다. 위도는 남북으로 0°부터 90°까지 있습니다. 경도는 동서로 0°부터 180°까지 있습니다. 수학에서 좌표평면의 1~4사분면과 비슷하게, 동경과 북위가 양수로 표현되고 서경과 남위는 음수로 표현됩니다.

경위도는 °(도), ′(분), ″(초)로 구분합니다. 1°를 60개로 쪼갠 각도가 1′이고, 1′를 60개로 쪼갠 각도가 1″입니다. 정확한 좌표는 37.6842°, 126.8087°처럼 소수점을 이용해 표현할 수도 있습니다. 37.5°는 37°30′과 같은 값을 소수점과 60분법으로 서로 다르게 표현한 것입니다. 따라서 [도분초 좌표] 체크박스는 데이터의 형태에 알맞게 해야 합니다.

X축 방향의 크고 작은 값이 경도이고, Y축 방향의 크고 작은 값이 위도인데 헷갈리는 학생들이 꽤 많은 편입니다.

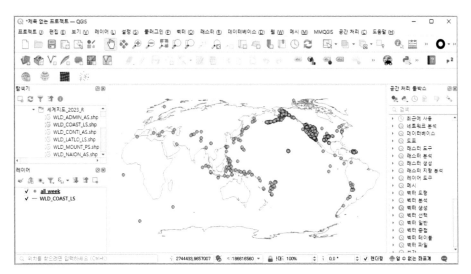

지도에 지진이 발생 지점에 표현된 것을 확인할 수 있습니다. 지진은 지각운동이 활발한 곳에서 주로 발생하므로, 판의 경계에 대해 학생들이 이해할 수 있게 됩니다.

XY 좌표가 있는 데이터는 QGIS를 통해 지도로 표현할 수 있습니다. 예를 들어 해적 발생 현황 등을 지도화하면 세계의 주요 해상운송 경로에 대해서 파악할 수 있게 됩니다.

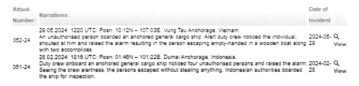

국제상공회의소(ICC)에서는 해적 발생 현황에 대한 Live Piracy & Armed Robbery Report를 제공하고 있습니다.

우리나라는 지방행정인허가데이터를 이용하면 다양한 업종의 입지를 확인할 수 있습니다. 국내 지리정보를 레이어로 추가할 때에는 꼭 좌표계를 정확하게 선택해야 합니다.

스텝**2** 단계구분도 그리기

예제: 국가별 합계출산율 표현하기

CSV다운로드 ☞ CSV불러오기 ☞ 결합 ☞ 단계 구분

※ 단계구분도는 공간 단위 면적이 유사하고, 공간 단위 안에서 데이터의 값이 균일할 때 사용하는 지도입니다.

속성정보 다운로드하기

단계구분도는 통계지도 중에서도 가장 흔하게 사용하는 지도입니다. 속성정보에 있는 숫자의 크고 작음에 따라 행정구역 등의 칠해진 색상이 달라지는 지도입니다. 단계구분도를 작성하려면 반드시 숫자로 된 속성정보가 있어야 한다는 뜻입니다. 기본 지도가 있으면 속성정보를 결합하여 단계구분도를 제작할 수 있습니다.

통계청 국가통계포털에는 다양한 통계를 제공하고 있습니다. 국가별 통계도 있습니다.

[국제·북한통계] - [주제별 통계] - [2023 국제통계연감] - [영토/인구] - [합계출산율(년 1950~2010)]을 선택합니다.
국가별, 연도별로 필터링 할 수 있습니다. [조회설정]을 선택하고 2024년만 선택합니다.
다운로드도 여러 가지 형태로 제공해줍니다. [다운로드]를 클릭하고 csv를 선택합니다.

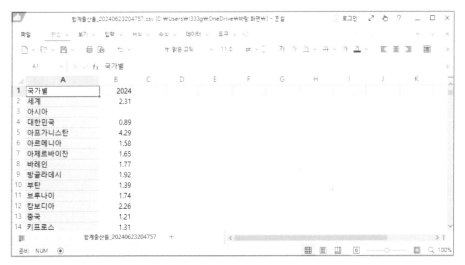

내려받은 파일을 열어보면 2022년의 국가별 감자 생산량을 확인할 수 있습니다.

속성정보가 포함된 데이터 파일은 QGIS에서 불러올 수 있습니다. QGIS를 실행하고 먼저 지도에 색을 칠하게 될 국가나 행정구역 등의 레이어를 추가합니다. 그리고 속성정보가 있는 레이어를 불러옵니다.

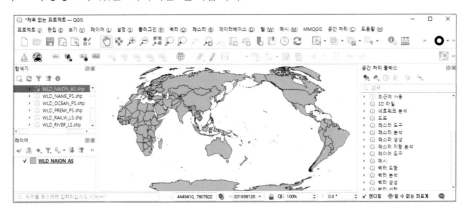

QGIS를 실행하고, 국토지리정보원 세계지도의 NAION 레이어를 불러옵니다.

Tip!

QGIS에서 속성정보의 문자가 깨질 때는 인코딩 문제인 경우가 많습니다. UTF-8이나 EUC-KR 중 하나로 바꾸면 대부분 해결됩니다.

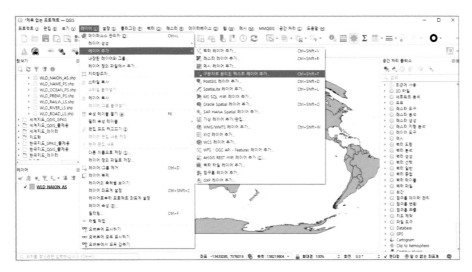

[레이어] - [레이어 추가] - [구분자로 분리된 텍스트 레이어 추가]를 선택합니다.

속성정보만 있는 파일의 경우 [도형 정의] - [도형 없음(속성만 있는 테이블)]을 선택해야 합니다.

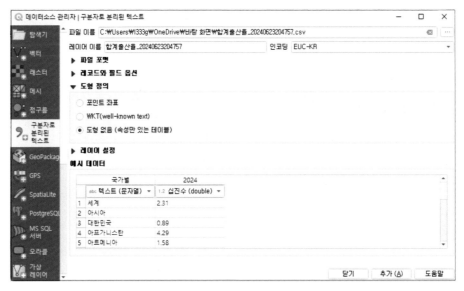

KOSIS에서 내려받은 데이터는 경위도 좌표를 포함하고 있지 않습니다. 속성정보만 있는 파일이기 때문에 [도형 정의] - [도형 없음(속성만 있는 테이블)]을 선택하고 [추가]합니다.

레이어가 새로 추가되었는데, 레이어 스타일을 보여주는 아이콘이 없고 스프레드
시트 형태의 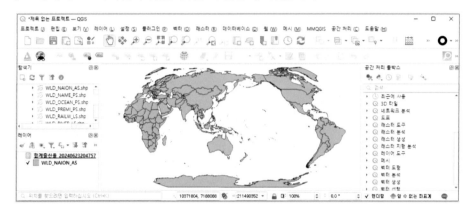아이콘이 있는 것을 확인할 수 있습니다.

화면 왼쪽 아래의 레이어 패널에 합계출산율 레이어가 추가된 것이 보입니다.

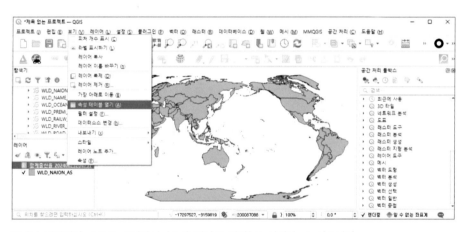

레이어 패널에서 오른쪽 클릭하여 [속성 테이블 열기]를 선택할 수 있습니다.

	국가별	2024
1	세계	2.31
2	아시아	NULL
3	대한민국	0.89

국가별 합계출산율에 대한 속성 정보가 있다는 것이 보입니다.

속성정보 결합하기

학교에서 업무를 하다보면 Vlookup 함수를 쓸 일이 많습니다. 학번 파일이 있고 성적 파일이 있는 경우, 학번에 해당하는 성적을 찾아와서 매칭하는 형태입니다. QGIS에서 그렇게 값을 가져와 합치는 경우 결합(join)이라고 부릅니다. 지도의 각 객체에 해당하는 속성정보를 다른 레이어에서 가져와 결합시킬 수 있습니다.

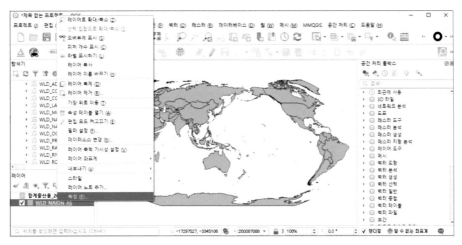

객체가 있는 레이어를 오른쪽 클릭하여 [속성]을 선택합니다.

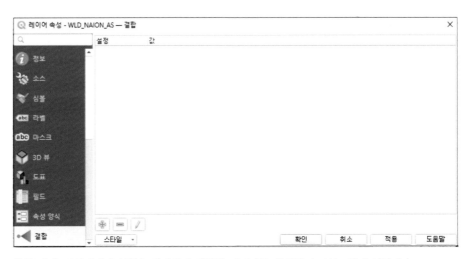

왼쪽 탭의 10번째에 [결합]을 선택하면 결합된 레이어를 확인할 수 있는 창이 열립니다.
왼쪽 아래의 더하기 아이콘을 눌러 결합할 조건을 입력하겠습니다.

[결합 레이어]에서는 불러올 내용이 있는 레이어의 명칭을 선택합니다.

[결합 필드]는 불러올 레이어의 필드이고, [대상 필드]는 결합할 레이어의 필드입니다. [결합 필드]와 [대상 필드]에 있는 값이 1:1로 완벽히 매칭되어야만 정상적으로 불러올 수 있습니다.

[결합될 필드]는 불러올 값을 의미합니다.

KOSIS의 합계출산율 레이어의 '국가별' 필드에 국가의 명칭이 있습니다. 국토지리정보원 NAION 레이어는 'NAT_NAM' 필드에 국가의 명칭이 있습니다. 두 필드의 값이 매칭될 수 있게 각각 선택합니다.
[결합될 필드]는 2024년의 합계출산율에 해당하는 '2024' 필드를 선택했습니다.

새롭게 합계출산율 레이어가 결합되었다는 점을 확인할 수 있습니다.

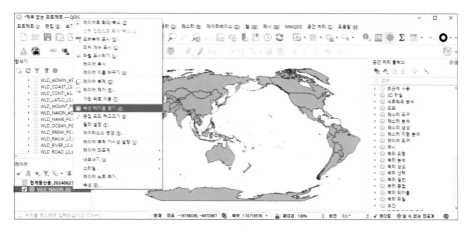

레이어 패널에서 [속성 테이블 열기]를 선택할 수 있습니다.

	FTR_IDN	FTR_CDE	NAT_NAM	합계출산율_2024
1	240	WG001	탄자니아	4.51
2	219	WG001	시에라리온	3.69
3	57	WG001	아르헨티나	1.85
4	127	WG001	조지아	2.04

WLD_NAION_AS — 총 피처 개수: 197, 필터링된 피처 개수: 197, 선택한 피처 개수: 0

속성 테이블의 오른쪽 끝으로 가보면 아까와 다르게 새로운 필드인 '합계출산율_2024'가 추가된 모습을 확인할 수 있습니다. 이 필드에는 합계출산율에 해당하는 값이 결합되어 있습니다.

디스이즈
지리지식

결합할 때는 완벽하게 같은 이름이어야만 합니다. 하지만 데이터는 출처에 따라 서로 다르게 표기하는데, 컴퓨터는 'United States of America'와 'USA'와 '미국'과 '미합중국'이 같다고 생각하지 않습니다. 마찬가지로 '세종'과 '세종특별자치시'가 같지 않기 때문에 잘 결합이 되지 않습니다. 따라서 각 지역을 코드로 관리하는 것이 GIS로 작업하기에 훨씬 편리합니다. 국가 명칭은 ISO-3166으로 국제적인 표준이 있습니다. '대한민국', '한국', '남한', 'South Korea', 'Republic of Korea' 중에 'KOR'이 표준이라고 생각하면 됩니다.

속성 정보로 단계구분도 작성하기

단계구분도는 속성정보에 숫자로 된 값이 있으면 제작할 수 있습니다. 레이어의 [속성]을 선택하면, [심볼]에서 단계구분의 선택이 가능합니다.

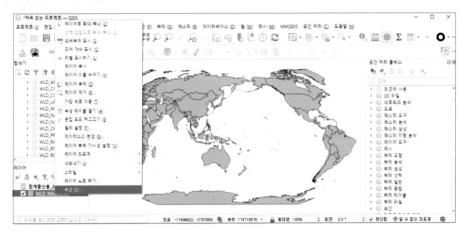

레이어 패널에서 [속성]을 선택합니다.

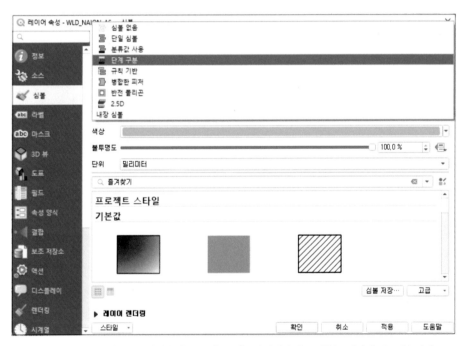

[심볼] 탭에서 [단일 심볼]을 선택하면 드롭다운 메뉴에서 [단계 구분]을 선택할 수 있습니다.

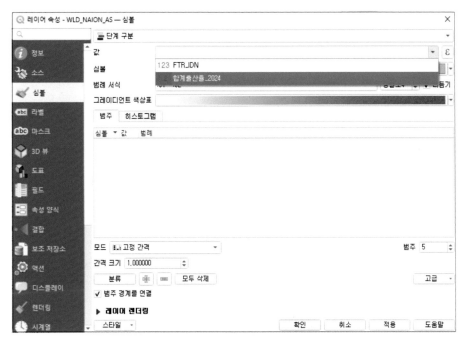

[값]에서 단계를 구분할 기준이 되는 숫자가 있는 필드를 선택해야 합니다.
합계출산율에 해당하는 '합계출산율_2024'를 선택합니다.

Tip!

속성 테이블에서 필드의 값에는 유형이 있습니다. 문자열은 왼쪽 정렬, 숫자 값은 오른쪽 정렬됩니다. 단계구분도는 숫자가 있어야 계산하여 단계를 구분합니다. 필드가 문자인 경우 명목척도이기 때문에 단계구분도를 만들 수 없고, 분류만 가능합니다. 토지피복분류가 대표적입니다.

필드의 왼쪽에 나오는 아이콘이 123로 되어 있는 경우 정수, 1.2로 되어있는 경우 십진수, abc로 되어 있는 경우 텍스트입니다. 이를 통해 확인 가능합니다.

따라서 필요에 따라 필드를 숫자에서 문자로, 문자에서 숫자로 바꿔야 할 수 있습니다. 그럴 때는 화면 우측 [공간 처리 툴박스] 패널의 [벡터 테이블] - [필드 재작성]을 선택하면 변경 가능합니다.

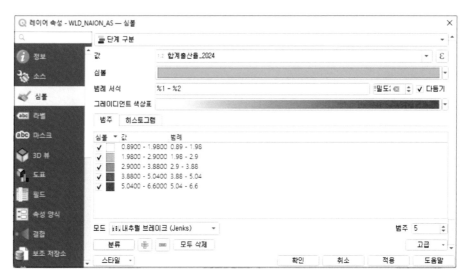

값으로 단계가 구분되는 경우 [적용]을 누르면 QGIS의 지도 화면에도 반영이 됩니다.

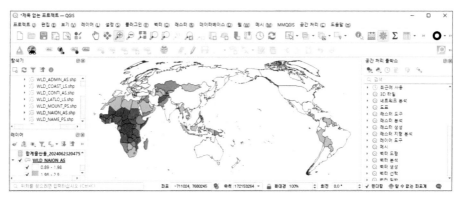

화면에 단계가 구분된 모습을 볼 수 있습니다.

> **Tip!**
>
> 필드 값에서 0과 Null은 서로 다른 뜻을 가지고 있습니다. 수출량이 0이면 수출량이 없다는 뜻이지만, 수출량이 Null이라면 수출량을 확인할 수 없다는 뜻이기 때문입니다.
>
> 실습 화면에서도 매칭되지 않아 비어있는 국가가 있습니다. Null은 결합이 제대로 되어있지 않은 경우가 많으므로 데이터를 검증하여 확인해야 합니다.

단계를 구분하는 방법

단계구분도는 단계를 어떻게 구분하는지에 따라 결과가 완전히 달라집니다. 같은 값이라도 다르게 시각화가 가능하다는 뜻입니다. 따라서 단계를 구분할 때는 해당 데이터의 특성을 고려하여 가장 적절한 방법을 선택해야 합니다.

레이어의 [속성]에서 [단계 구분]을 선택하면 [모드]에서 원하는 방법을 선택할 수 있습니다. [내추럴 브레이크], [등간격], [등개수], [프리티 브레이크] 등을 선택할 수 있습니다. [히스토그램]을 선택하면 차이가 직관적으로 보입니다.

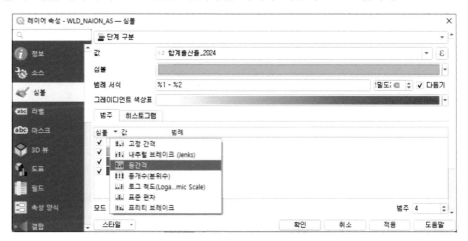

[모드]를 선택하면 원하는 단계 구분의 방법을 선택할 수 있습니다.
우측의 [범주]에는 단계를 몇 개로 구분할 것인지 선택할 수 있습니다.

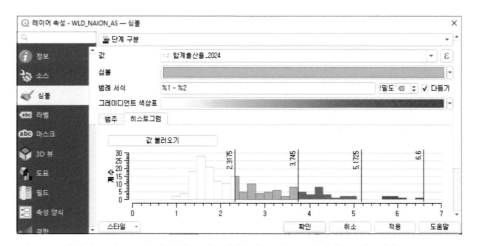

[히스토그램]에서는 계급 구분이 어떻게 이루어지는지 그래프로 살펴볼 수 있습니다.

[등간격]은 계급값이 일정한 간격으로 구분됩니다. 합계출산율이 6.6인 니제르를 기준으로 구분하다보니 저출산인 국가가 지나치게 많아보입니다.

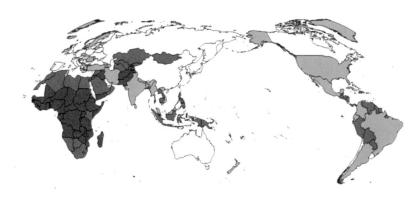

[등개수]는 각 계급의 객체 수가 같도록 구분합니다.

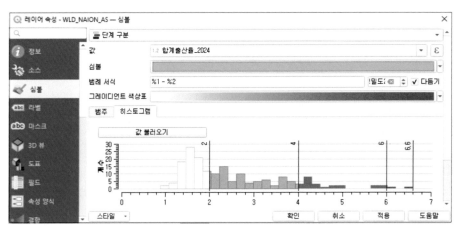

[프리티 브레이크]는 구분하는 숫자가 깔끔하게 떨어지는 장점이 있습니다.

[내추럴 브레이크]로 구분하는 경우 각 속성정보의 값을 고려하여 수학적으로 적당한 단계 구분의 값을 도출해줍니다. 따라서 지도로 표현해도 생산량이 적은 국가와 많은 국가가 적절하게 나누어지기 때문에 시각적으로도 전달이 잘 됩니다.

국가나 행정구역 단위로 수집된 데이터는 단계구분도를 작성할 수 있습니다. UN의 World Population Prospects 2022는 인구밀도, 중위연령, 자연증가율, 합계출산율, 출생성비, 조사망률, 기대수명, 영아사망률, 순이동률 등 중요한 인구지표를 국가별로 시각화할 수 있습니다. 세계은행(WorldBank)의 DataBank 에서는 1인당 국내총생산, 전기 보급률, 의무교육 기간 등 다양한 사회경제적 데이터를 제공해줍니다. 종교의 신자 비율이나 재생에너지 전력 생산 비율 등 지리적으로 살펴볼 수 있는 데이터가 많습니다.

격자망을 단계구분도로 표현하는 경우 핫스팟이 어디인지 직관적 파악이 가능하므로 도시지리 등에서 활용하기 좋습니다.

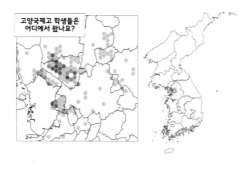

스텝3 도형표현도 그리기

예제 : 국가별 닭 사육두수 표현하기

CSV다운로드 ☞ CSV불러오기 ☞ 결합 ☞ 도형 표현

※ 도형표현도는 심볼의 크고 작은 모습을 통해 데이터를 표현하는데, [크기]의 [편집]에서 [표현식 작성기]를 통해 만들 수 있습니다.

속성정보 결합하기

도형표현도는 일상에서도 쉽게 접할 수 있을 정도로 흔하게 활용되는 통계지도의 형태입니다. 배경에 단계구분도를 깔고 객체 위에 얹어진 형태로 다른 통계지도와 함께 쓰이는 경우도 많습니다. 먼저 도형표현도에 필요한 속성정보를 수집해 결합하고, 그래프 형태의 도형표현도로 표현하겠습니다.

국가별 닭 사육두수를 도형표현도로 만들어보고자 합니다.
통계청 국가통계포털KOSIS에서 [국제통계] - [국제통계연감] - [농림/수산] - [가축사육(닭)]을 선택합니다.

국가별, 연도별 닭 사육두수 통계를 확인할 수 있습니다.
우측의 [다운로드] 단추를 눌러 CSV파일 형태로 내려받습니다.

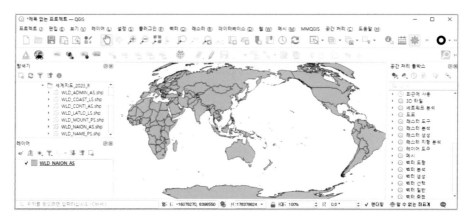

국토지리정보원 세계지도 중 국가에 해당하는 NAION레이어를 QGIS에서 불러옵니다.
Natural Earth와 다르게 태평양이 가운데 오는 투영법이 기본이기 때문에 학생들에게 교육적으로
적절한 형태로 시각화됩니다.

[레이어] - [레이어 추가] - [구분자로 분리된 텍스트 레이어 추가]를 통해 통계청에서 다운로드
한 닭 사육 데이터 CSV파일을 불러옵니다.

NAION 레이어의 [속성] - [결합]에서 국가 이름을 기초로 가축사육 레이어의 2021년 사육두수
필드를 결합하여 속성정보를 가져옵니다.

그래프 형태의 도형표현도 만들기

[레이어]에서 오른쪽 클릭하여 [속성]을 열고, 탭에서 [도표]를 선택하면 지도에 그래프를 추가할 수 있습니다.

왼쪽 탭에 파이그래프 혹은 막대그래프 형식의 아이콘이 있는 것이 [도표]입니다.

드롭다운 메뉴에서 [파이 차트]를 선택하면 지도의 객체에 파이 그래프를 추가할 수 있습니다.

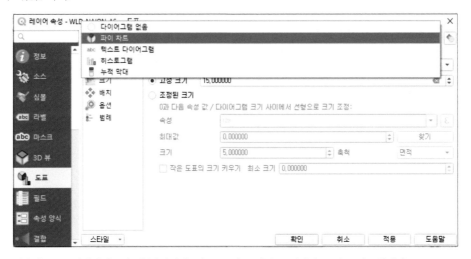

기본적으로는 [다이어그램 없음]이지만, 다른 그래프 형태를 선택하는 것도 가능합니다.

[속성]에서는 파이 그래프를 구성할 필드를 선택할 수 있습니다. 또한 색상이나 범례 등을 수정할 수 있습니다.

닭 사육두수가 있는 필드를 선택하고, 더하기 모양의 아이콘인 [선택한 속성 추가]를 클릭합니다.

[크기]에서는 파이 그래프의 크기를 조절할 수 있습니다. [조정된 크기]를 선택하면 필드의 값에 따라 파이 그래프의 크기가 다르게 나타나게 할 수 있습니다. [속성]에서 표현하고 싶은 필드를 선택하면 됩니다.

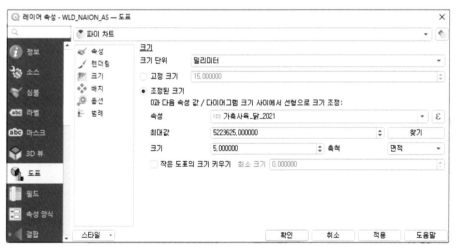

[속성]의 값을 기준으로 파이 그래프의 크기가 그려집니다. [최대값]에 [찾기]를 클릭하면 전체 객체 중에서 해당 필드의 최대값이 얼마인지 알려줍니다. 현재 설정은 최대값이 나타나는 객체에 5.0mm 크기의 파이 그래프가 표현된다는 뜻입니다.

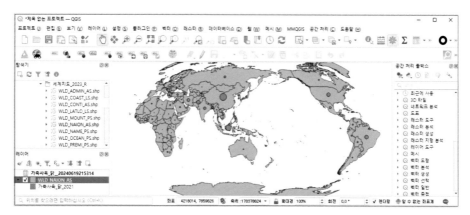

지도에 파이 그래프로 도형표현도가 표현되었습니다.

디스이즈

도형표현도는 객체별 데이터의 크고 작음을 도형으로 표현합니다. 통계지도 중에서 흔한 형태이기 때문에, 학생들이 통계지도를 제작할 때 단계구분도와 많이 헷갈리는 편입니다. 지역의 크기와 관련이 있는 값은 도형표현도로 표현하는 편이 낫고, 단계구분도로 작성하기 좋지 않습니다.

예를 들어 러시아와 인도네시아의 자와섬 인구가 비슷합니다. 하지만 단계구분도로 만들어 같은 색을 칠하게 되면, 거대한 러시아는 넓게 칠해지고 상대적으로 자와는 좁게 칠해져 같은 인구임에도 시각적으로 다른 정보를 전달하게 됩니다. 따라서 단계구분도로 표현하기에 인구수보다 인구밀도가 적절한 데이터라고 할 수 있습니다.

데이터가 절대값인 경우에는 대부분 도형표현도를 제작하는 것이 좋습니다. 단계구분도는 비율이나 밀도 등 표준화한 데이터를 표현할 때 유리합니다.

스텝4 등치선도 그리기

예제 : 동아시아의 등온선도 작성하기

CSV다운로드 ☞ CSV불러오기 ☞ 플러그인 설치 ☞ 등치선 생성 ☞ 라벨

지점과 데이터 확보하기

등치선은 지표면에서 같은 값이 나타나는 지점을 이은 선입니다. 등치선이 표현되어 있는 지도를 등치선도라고 합니다. 고도가 같은 지점을 선으로 이으면 등고선, 온도가 같은 지점을 선으로 이으면 등온선이 되는 식입니다. 일반적으로 지표면에 연속적으로 존재하는 값을 지도로 표현할 때 자주 활용합니다.

등치선을 작성하려면 확실하게 값을 알고 있는 지점이 있어야 합니다. 그리고 그 지점들 사이는 이미 알고 있는 값을 기반으로 계산하는데, 이러한 방식을 공간적 보간법이라고 합니다.

공공데이터포털에서 관측지점을 검색합니다.

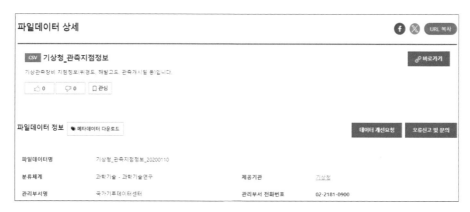

검색 결과 중에서 기상청에서 제공하는 관측지점정보가 있습니다. 공공데이터포털에서 바로 파일 다운로드를 제공해주기도 하고, 다운로드를 할 수 있는 페이지를 안내해주기도 합니다. [바로가기] 단추를 클릭하면 해당 웹페이지로 이동할 수 있습니다.

기상자료개방포털에서 [메타데이터] - [지점정보] - [관측지점정보]에 해당하는 페이지로 이동할
수 있습니다.

지점의 위치정보를 다운로드합니다.

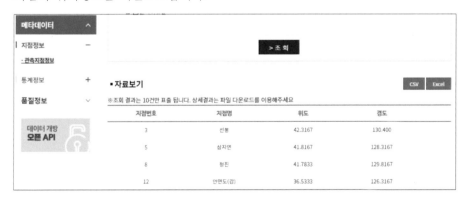

화면의 조회 버튼 아래쪽에 자료보기가 있어 주요 관측지점의 좌표를 확인할 수 있습니다.
[CSV] 버튼을 선택하면 주요 관측지점 전체를 csv파일로 다운로드할 수 있습니다.

[기상관측] - [세계기상전문(GTS)] - [지상(SYNOP)]를 선택하면 세계 주요 지점의 기상 관측 데이터를 확인할 수 있습니다.

2024년 1월 1일 1시의 기온을 선택하고, 관측지점은 세계 전체를 선택했습니다.
csv 버튼을 눌러 파일로 다운로드합니다.

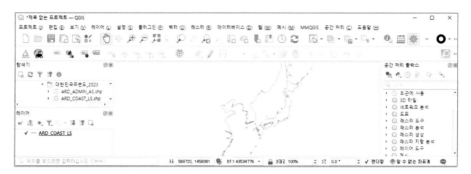

국토지리정보원의 대한민국 주변도에서 해안선에 해당하는 COAST 레이어를 불러왔습니다.

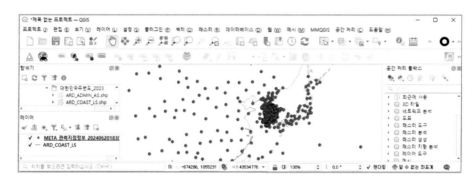

세계 관측지점 정보를 [레이어] - [레이어 추가] - [구분자로 분리된 텍스트 레이어 추가]로 불러 옵니다. 경위도 좌표가 포함되어 있는 값이므로 [도형 정의]에서 [포인트 좌표]를 선택하고, X와 Y에 각각 경도와 위도를 선택하여 추가합니다.
우리나라에서 제공하는 데이터이기 때문에 국내 관측지점의 밀도가 압도적으로 높은 점을 확인할 수 있습니다.

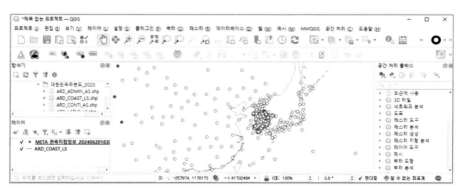

관측 지점이 전 세계에 7천 개가 넘어 너무 많습니다. 예제에서는 동북아시아의 기온만을 표현할 예정입니다. 동북아시아의 관측 지점만 선택하여 새로운 레이어로 만들어줍니다.

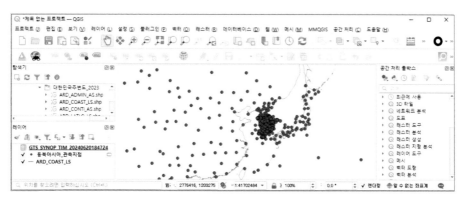

동북아시아의 관측지점만 있는 레이어를 임시 스크래치 레이어로 만들었습니다.
[레이어] - [레이어 추가] - [구분자로 분리된 텍스트 레이어 추가]를 선택하여 1월 1일 1시의
기온이 있는 csv파일을 속성정보만 있는 레이어로 추가합니다.

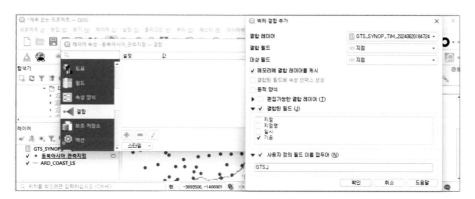

관측지점 레이어의 [속성]에서 [결합]을 선택합니다. 각 지점을 기준으로 기온 필드에 있는 값을
결합하여 가져옵니다.

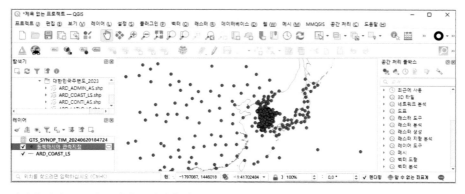

이러한 과정을 통해 등치선도 작성에 필요한 데이터를 정리하였습니다.

플러그인 설치

QGIS의 강력한 기능 중에 플러그인이 있습니다. 기본적인 기능만 먼저 설치하고, 필요한 기능은 추가 설치하여 활용할 수 있기 때문입니다. 사람들이 필요한 기능을 플러그인으로 만들어 누구나 쓸 수 있도록 공유하기 때문에 내려받을 수 있습니다. [플러그인] - [플러그인 관리 및 설치]를 선택합니다.

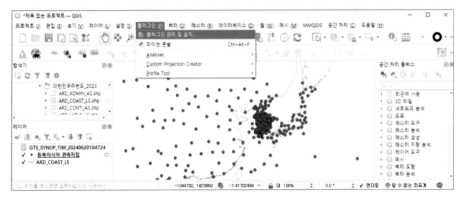

[플러그인] - [플러그인 관리 및 설치]를 선택하면 플러그인에 대한 새로운 창이 뜨게 됩니다.

검색창에 contour을 검색하면 [contour plugin]을 선택할 수 있습니다. 등치선도 제작에 필요한 기능을 설치할 수 있습니다.

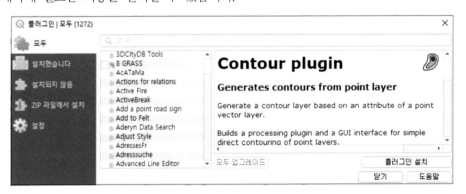

기본적으로 검색 기능은 인터넷이 연결되어있어야 가능합니다. 플러그인을 압축파일로 저장하면 USB 저장장치 등을 통해 인터넷 연결 없이도 설치가 가능합니다.
우측에 [플러그인 설치] 단추를 선택합니다. 플러그인은 설치를 완료해야 사용할 수 있습니다.

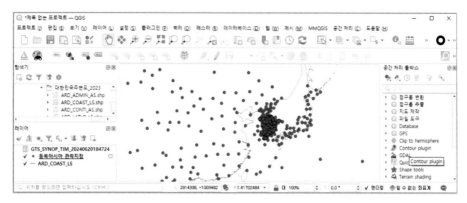

우측 공간처리툴박스 패널에 보면 새로 설치한 플러그인이 추가된 모습을 볼 수 있습니다.

[벡터] - [contour]을 선택하면 등치선도를 제작할 수 있습니다.

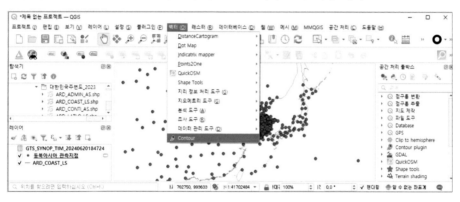

우측 공간처리툴박스 패널에 보면 새로 설치한 플러그인이 추가된 모습을 볼 수 있습니다.

Tip!

등치선도는 지표면의 연속적인 값을 표현할 때 자주 사용합니다. 연속적인 값은 래스터 데이터 형태인 경우가 많습니다. 예를 들면 고도에 대한 정보는 주로 DEM 형태로 제공하기 때문에 쉽게 구할 수 있습니다. 이러한 경우에는 [래스터] - [추출] - [등고선 생성]을 선택하면 등고선 레이어를 출력할 수 있습니다.

등치선도의 설정

단계구분도나 도형표현도 등 다른 통계지도와 마찬가지로 등치선도 또한 어떻게 계산할 것인지 설정할 수 있습니다.

[Data value]에서는 등치선도를 작성할 값이 있는 필드를 선택할 수 있습니다.
[Method]에서는 값을 어떤 기준으로 구분할 것인지 선택할 수 있습니다. 현재 값이 기온이므로 일정한 온도 간격으로 선을 그리려는 경우는 [Fixed contour interval]을 선택하면 됩니다. 간격에 해당하는 [interval]에 원하는 값을 입력하면 됩니다.
[추가]를 선택하면 화면에 등치선 레이어가 추가됩니다.

Tip! _____

공간적 보간법은 지점이 촘촘할수록 훨씬 정밀해집니다.

_____

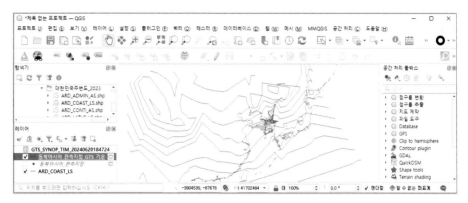

지도에 등치선 레이어가 추가되었음을 확인할 수 있습니다.

등치선도의 시각화

등치선도에 포함된 지리정보를 더 잘 전달하기 위해서는 시각화에 신경을 쓰는
것이 좋습니다.

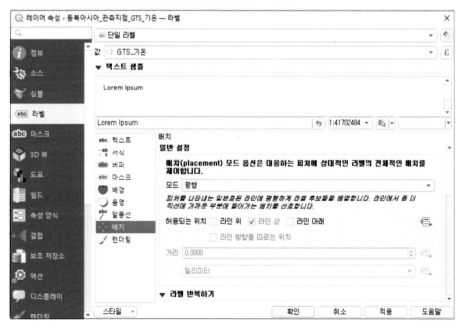

등치선 레이어의 속성에서 [라벨]을 선택하여 라벨을 부여할 수 있습니다.
[배치]에서 [라인 상]을 선택하면 선 위에 라벨이 표현되어 인식하기 훨씬 쉬워집니다.

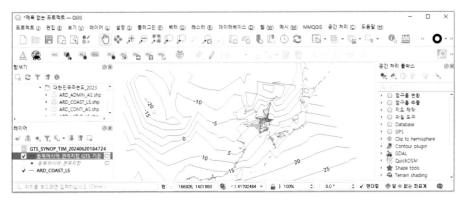

선 위에 값이 표현되어 얼마나 차이가 나는지 값을 확인할 수 있습니다.

Tip!

QGIS의 벡터 레이어는 기본적으로 직선 형태입니다. 일반적으로 등치선도는 부드러운 형태로 표현됩니다. 이러한 경우 평활화(smoothing) 기능을 활용하는 것이 좋습니다.

조건문을 활용하면 구체적으로 원하는 결과를 만들어내는 것도 가능합니다. 예를 들어 특정 값만 더 두꺼운 선으로 표현할 수 있습니다.

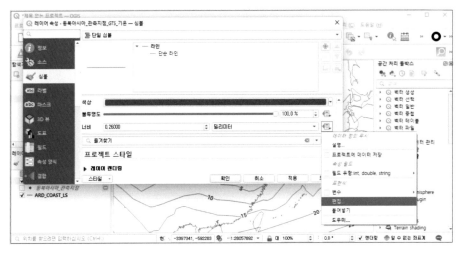

[심볼]에서 너비에 [편집]을 선택하면 [표현식 작성기]를 열 수 있습니다.

왼쪽에 표현식으로 작성한 문장입니다. 필드의 값이 25로 나누어 떨어지는 경우 두께값을 2.0으로 하고, 그렇지 않은 경우는 0.15로 한다는 뜻입니다. 스프레드시트에서 함수를 다루는 것과 비슷한 측면이 있기 때문에 익숙해지면 훨씬 많은 기능을 사용할 수 있게 됩니다.

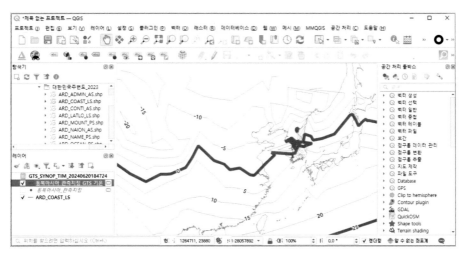

표현식의 [확인]을 선택한 결과입니다. 0℃와 25℃는 진한 선으로 바뀌었습니다.

디스이즈
지리지식

고도, 강수량, 개화일 등 자연지리 현상을 등치선도로 그리는 경우가 많지만, 이동 시간이 같은 등시선이나 운송 비용이 같은 등비용선처럼 인문지리 현상 또한 등치선도로 표현이 가능합니다.

스텝5 유선도 그리기

예제 : 우리나의 수출대상국

CSV다운로드 ☞ CSV불러오기 ☞ 결합 ☞ 좌표생성 ☞ 선 생성 ☞ 두께

※ 유선도는 이 책에서 다루는 실습 중에는 꽤 까다로운 편입니다. 꼭 그려야하는 상황이 아니라면 생략해도 됩니다.

상호작용을 나타내는 속성정보 확보하기

유선도는 지역과 지역 사이에서 발생하는 상호작용을 선으로 표현하는 통계지도입니다. 따라서 유선도를 작성하기 위해서는 출발하는 곳, 도착하는 곳, 상호작용의 양이라는 세 가지가 포함된 데이터가 필요합니다. 다른 통계지도에 비해 QGIS에서 구현하기 다소 복잡한 편이므로 굳이 실습하지 않아도 괜찮습니다.

통계청 국가통계포털에 접속합니다. [국내통계] - [주제별 통계] - [무역·국제수지] - [무역통계] - [국가별 수출입현황]을 선택합니다.

[항목]은 수출금액, [시점]은 최신으로 선택하여 조회합니다.
[다운로드]를 클릭하고 파일형태에서 csv를 선택합니다.

통계청에서 제공하는 우리나라의 수출 데이터에는 유선도가 표현하려는 세 가지 정보가 모두 포함되어 있습니다. 예를 들어 다운로드 데이터에서 우리나라는 출발하는 곳, 수출대상국은 도착하는 곳, 수출금액은 상호작용의 양을 나타냅니다.

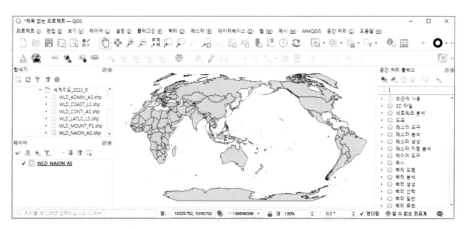

QGIS에서 국토지리정보원의 세계지도 중 국가에 해당하는 naion 레이어를 불러옵니다.

국가 레이어의 각 객체에 상호작용의 양을 결합합니다.

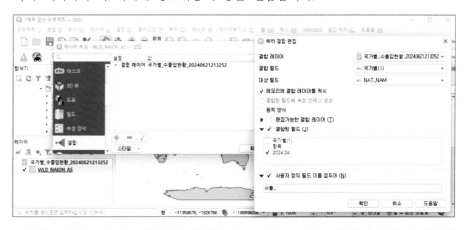

[레이어] - [레이어 추가] - [구분자로 분리된 텍스트 레이어 추가]를 선택하여 국가통계포털에서 다운로드한 국가별 수출금액에 대한 csv파일을 불러옵니다.
국가 레이어의 [속성]에서 [결합]을 선택하고 국가의 이름 필드를 기준으로 수출금액에 해당하는 필드를 불러올 수 있게 선택합니다.

위치를 나타내는 공간정보 추출하기

유선도는 지역과 지역 사이에서 발생하는 상호작용을 선으로 표현하는 통계지도입니다. 따라서 유선도를 작성하기 위해서는 출발하는 곳과 도착하는 곳의 위치에 해당하는 공간정보가 필요합니다. 국가의 영토는 폴리곤 형태이므로, 각 선이 출발하고 도착할 수 있게 객체의 중심점 위치를 가지고 있으면 됩니다.

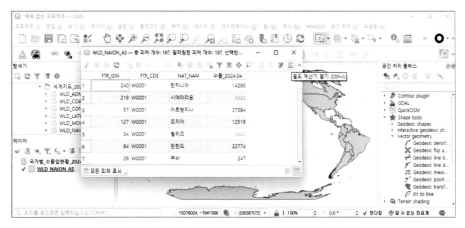

[속성 테이블 열기]를 통해 속성 테이블을 열어보면 국가별 수출금액이 보입니다.
우측에 주판 모양의 아이콘인 [필드 계산기 열기]를 선택합니다.

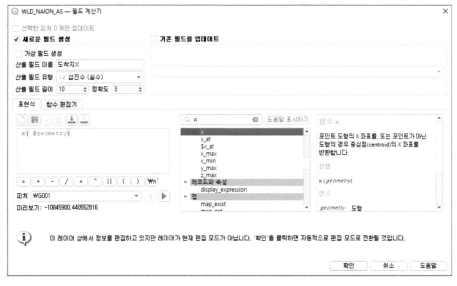

X좌표를 나타내는 x에 도형인 geometry를 결합하면 중심점의 x좌표가 계산됩니다.

X좌표가 들어있는 도착지X라는 필드가 생겼고, X좌표가 입력되어 있습니다.

마찬가지의 방법으로 y좌표값을 얻기 위해 y(@geometry)를 표현식에 입력합니다.
새 필드 이름을 도착지라고 붙인 이유는 각 국가가 수출의 대상국이기 때문입니다.

각 국가의 X와 Y좌표를 얻게 되었습니다.

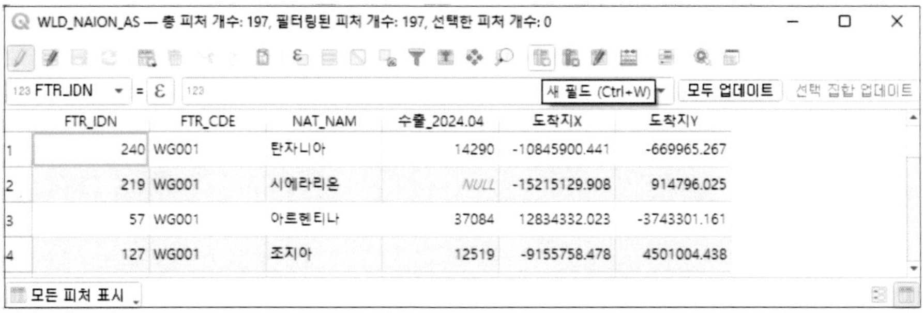
WLD_NAION_AS — 총 피처 개수: 197, 필터링된 피처 개수: 197, 선택한 피처 개수: 0
123 FTR_IDN
새 필드 (Ctrl+W)
모두 업데이트
선택 집합 업데이트
FTR_IDN
FTR_CDE
NAT_NAM
수출_2024.04
도착지X
도착지Y
1 240 WG001 탄자니아 14290 -10845900.441 -669965.267
2 219 WG001 시에라리온 NULL -15215129.908 914796.025
3 57 WG001 아르헨티나 37084 12834332.023 -3743301.161
4 127 WG001 조지아 12519 -9155758.478 4501004.438
모든 피처 표시

속성 테이블이 [편집 모드]일 때 [새 필드] 버튼을 누르면 필드가 추가됩니다.

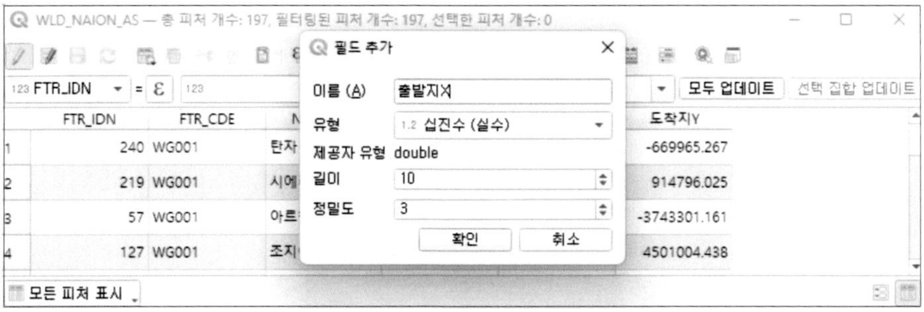
필드 추가
이름 (A) 출발지X
유형 1.2 십진수 (실수)
제공자 유형 double
길이 10
정밀도 3
확인
취소

출발지의 X좌표를 표현할 수 있는 새 필드를 생성합니다.

WLD_NAION_AS — 총 피처 개수: 197, 필터링된 피처 개수: 197, 선택한 피처 개수: 0
FTR_IDN
FTR_CDE
NAT_NAM
수출_2024.04
도착지X
도착지Y
출발지X
출발지Y
22 36 WG001 니카라과 6969 11705415.020 1372218.268 NULL NULL
23 91 WG001 대한민국 NULL -1974633.220 4109828.461 NULL NULL
24 156 WG001 덴마크 42738 6460775.200 7551130.694 NULL NULL
25 16 WG001 도미니카 175 13879139.780 1649148.837 NULL NULL
26 42 WG001 도미니카공화국 NULL 12956033.470 2018749.643 NULL NULL
27 163 WG001 독일 916813 -11344058.800 5430054.176 NULL NULL
28 231 WG001 동티모르 NULL -2270540.930 -942681.780 NULL NULL
모든 피처 표시

같은 방식으로 필드를 하나 더 만들었습니다.
유선도는 출발지X좌표, 출발지Y좌표, 도착지X좌표, 도착지Y좌표가 필요합니다. 그래서 출발지X와 출발지Y라고 이름을 붙였습니다.
이 데이터는 우리나라에서 수출한 금액이기 때문에 출발지는 대한민국이 될 예정입니다. 따라서 출발지X와 출발지Y에는 대한민국의 좌표를 넣겠습니다.

왼쪽의 드롭다운 메뉴에서 필드 이름을 선택할 수 있습니다. 출발지 X필드를 선택합니다.

대한민국 객체의 X값에 해당하는 값을 복사하여 계산식의 빈칸에 붙여넣습니다.

오른쪽의 [모두 업데이트]를 클릭하면 해당 필드에 같은 값이 입력됩니다.

같은 방법으로 반복하여 X값과 Y값이 모두 입력된 데이터를 얻을 수 있게 되었습니다.

위치를 이용해 유선도 작성하기

출발지점과 도착지점이 있으면 선으로 이어줄 수 있습니다. [Shape tools]에서 [Vector Geometry]에서 [XY to line]를 선택합니다.

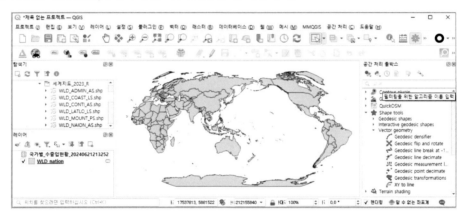

화면 우측 패널인 공간처리 툴박스에서 [XY to line]을 검색하면 쉽게 선택할 수 있습니다.

Tip!

공간처리 툴박스에서 Shape tools가 보이지 않는 경우 [플러그인]-[플러그인 관리 및 설치]에서 Shape Tools를 설치하면 됩니다.

XY to line을 선택하여 열린 창의 모습입니다.

[Input CRS for coordinates within the vector fields]에서는 입력 레이어의 좌표계를 선택하는 부분인데, 이 실습에서는 국토지리정보원의 로빈슨 도법 세계지도를 이용하고 있습니다.

Starting X Field와 Starting Y Field는 우리나라의 좌표가 있는 두 필드를 각각 선택했습니다.

Ending X Field와 Ending Y Field는 각 국가의 좌표가 있는 두 필드를 각각 선택했습니다.

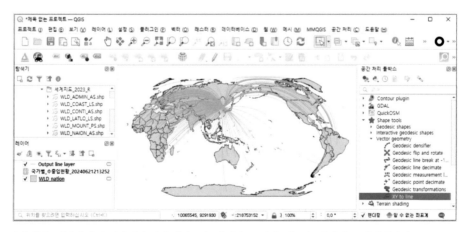

[실행]을 선택하면 우리나라와 수출대상국을 연결하는 선이 새로운 레이어로 생성됩니다.

유선도에 단계를 구분하여 시각화하기

유선도는 상호작용의 정도를 표현합니다. 따라서 상호작용량의 많고 적음이 표현
되는 것이 좋습니다. 일반적으로는 선의 두께나 색상의 진하고 연한 농담으로 크고
작음이 표현됩니다.

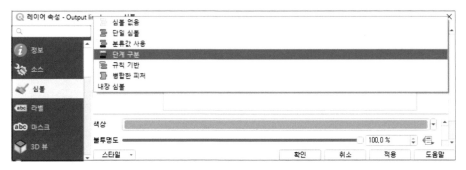

유선도에서 선에 해당하는 레이어의 [속성]을 열고, [심볼]을 선택합니다.
[심볼]에서 [단계 구분]을 선택하면 선의 표현을 다르게 할 수 있습니다.

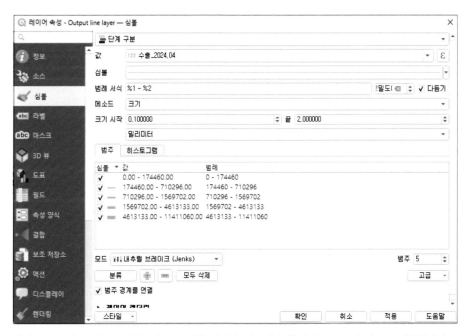

단계를 구분하는 값은 수출을 기준으로 할 것이기 때문에 [값]에서 수출금액 필드를 선택합니다.
[메소드]에서는 크기나 색상 중 하나를 선택할 수 있습니다.
단계구분도와 마찬가지로 단계를 구분하는 방식을 선택할 수 있습니다.

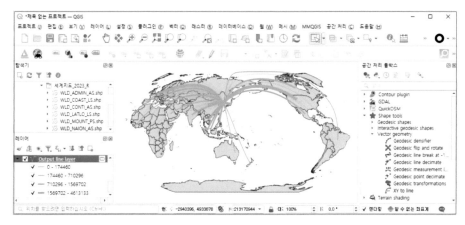

유선도에서 굵기가 서로 다르게 표현되었다는 점을 확인할 수 있습니다.

Tip!

　기본적으로 선을 표현하는 레이어는 심볼에서 단순 라인 형태로 시각화하고 있습니다. 유선도에서는 출발과 도착이라는 정보가 있기 때문에 화살표 형태로 시각화하면 조금 더 정보를 제대로 전달할 수 있습니다.

디스이즈

　유선도를 그릴 때 어떤 형태의 선을 생성할 것인지 선택할 수 있습니다.

　simple line은 출발 지점에서 도착 지점까지 자를 대고 선을 긋듯 지도상에 직선으로 표현하는 방법입니다. 지도에는 최단거리처럼 보이지만 실제 지구상에서는 최단거리가 아닙니다.

　great circle은 대권이라고 번역합니다. 구의 단면은 어떻게 해도 원이지만, 중심을 지나는 단면에서 가장 큰 원이 만들어집니다. 그래서 커다란 원이라는 뜻에서 대권이라고 부르는데, 두 지점을 잇는 최단거리는 대권의 호에 해당합니다. 이동거리를 줄이려면 비행기나 배는 대권항로를 따라갑니다.

　geodesic은 측지선이라고 번역합니다. 곡면상에서 거리가 짧아지는 경로인데, 지구는 타원체이다보니 대권과 측지선은 조금 차이가 있습니다.

유선도는 상호작용의 값을 표현하는 통계지도이기 때문에 지리 수업의 핵심 개념 중 하나인 이동을 표현하기 좋습니다. 인구 이동이나 자원의 수출입 등이 대표적입니다. 세계의 항공 노선을 유선도로 제작하면 도시 사이의 네트워크가 어떻게 형성되어있는지 시각적으로 확인이 가능합니다.

스텝**6** 열 지 도 그 리 기

예제 : 김포시의 공장밀집지역

CSV다운로드 ☞ CSV불러오기 ☞ 열지도

※ 공간 처리 툴박스에서 [보간] – [열지도(커널 밀도 추정)]을 이용해 열지도를
제작할 수 있습니다.

위치가 있는 데이터 확보하기

열지도는 열화상 카메라에서 보이는 화면처럼 표현하는 통계지도의 형태입니다. 현상의 공간적인 분포를 밀도로 표현하는 방식이라고 할 수 있습니다. 따라서 해당 현상에 대한 위치정보가 있어야 하기 때문에 점지도 만들기와 유사한 측면이 있습니다.

최근 빅데이터를 공유하는 플랫폼이 많아졌습니다
경기도에 대한 빅데이터를 공유하는 경기데이터드림입니다. 공장을 검색합니다.

공장등록 현황 페이지입니다. 산업통상자원부 한국산업단지공단 팩토리온의 공장정보를 원본으로 경기도에서 제공하고 있습니다.

경기도에 있는 7만 개가 넘는 공장 중에서 김포시에 해당하는 필터링하여 검색합니다.
검색 결과로 나오는 김포의 공장만 [다운로드]를 클릭하여 csv파일로 내려받습니다.

 디스이즈

  점지도나 열지도를 그릴 때는 정확한 위치를 알 수 있는 공간정보가 있어야 합니다. 경도나 위도에 대한 좌표는 WGS84를 이용하면 세계 어디든 알 수 있고, 우리나라는 정확한 좌표계와 값을 알면 더욱 정밀하게 지도에 표현할 수 있습니다. 이러한 공간정보는 X와 Y에 대한 숫자 형태로 되어있습니다.

  하지만 일상에서는 정확한 위치를 표현할 때 '북위 37°41′02″, 126°48′30″ 입니다.'보다 '고양시 일산동구 위시티4로 112입니다.'라고 알려줍니다. 사람들 끼리 의사소통에는 주소를 사용하는 경우가 많기 때문입니다.

  따라서 주소를 지도에 표현하려면 X, Y 좌표 형태의 숫자로 바꾸는 과정이 필요합니다. 이러한 과정을 지오코딩이라고 합니다. 지오코딩을 무료로 제공해 주는 Awesome Table이나 브이월드를 이용하면 편리합니다.

열지도의 배경이 되는 지도를 준비하기

열지도는 그라데이션 형태로 지도가 만들어지기 때문에 배경이 되는 지리정보가 함께 필요합니다.

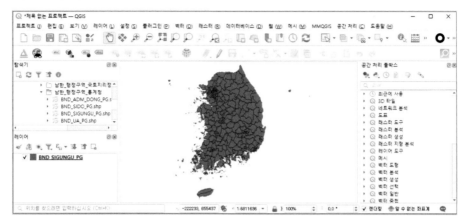

통계청 행정구역 중에서 시군구를 레이어로 불러옵니다.

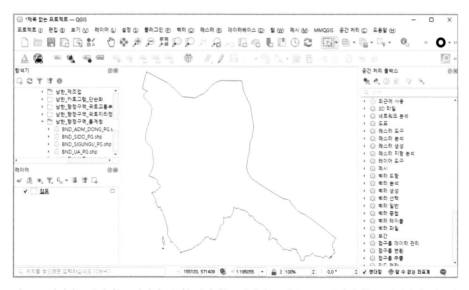

김포를 선택하고 [편집] - [피처 복사], [편집] - [피처를 다음으로 붙여넣기]를 선택하여 김포만 있는 새로운 레이어를 만들고 기존 레이어는 삭제합니다.
배경 지도로 사용할 것이기 때문에 [속성]에서 [채우기 색상]을 [투명 채우기]로 바꿉니다.

열지도로 표현하기

열지도는 그라데이션 형태로 지도가 만들어지기 때문에 배경이 되는 지리정보가
함께 필요합니다.

[레이어] - [레이어 추가] - [구분자로 분리된 텍스트 레이어 추가]를 선택합니다.
다운로드한 김포의 공장 현황 csv파일을 선택하고, 경위도에 해당하는 필드를 선택합니다.

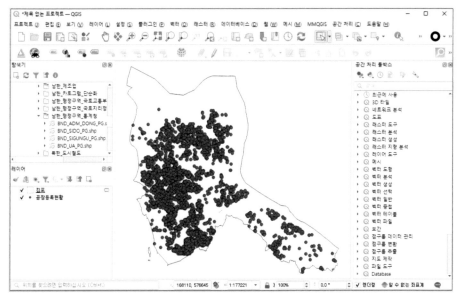

7천 개가 넘는 김포의 공장 위치가 표현되었습니다.

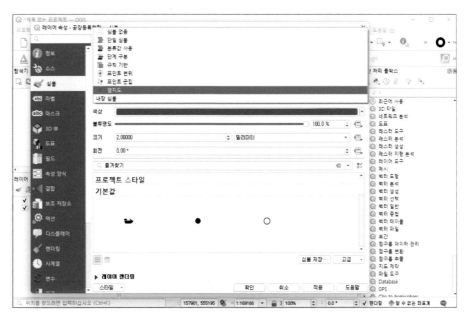

공장 레이어의 [속성]에서 [심볼]을 선택합니다.
단일 심볼로 되어 있는 드롭다운 메뉴를 선택하여 [열지도]를 선택합니다.

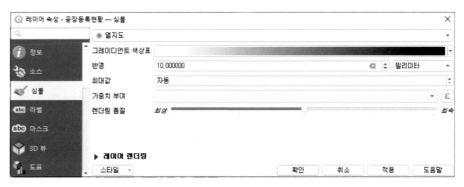

열지도로 표현할 수 있는 설정 창으로 바뀝니다.
[반경]은 열지도를 계산할 때 얼마나 멀리 떨어진 것까지 고려하는지에 해당합니다. 숫자가 작으면 점지도와 비슷해지고, 숫자가 커지면 흐리멍덩해집니다.
[가중치 부여]는 특정 필드의 값을 선택하여 더 구체적인 정보를 표현할 때 활용할 수 있습니다. 예를 들면 현재는 단순하게 공장의 개수만을 기반으로 표현하는데, 종업원 수가 반영되면 각각의 공장에 일하는 인구의 분포를 나타내는 열지도로 만들 수 있습니다.
[렌더링 품질]은 열지도를 만드는 정밀도를 말합니다. 최상으로 가면 정밀하게 표현되지만 오래 걸리는 편입니다. 반대로 최속으로 하면 빨리 계산되지만 정밀함이 떨어집니다.

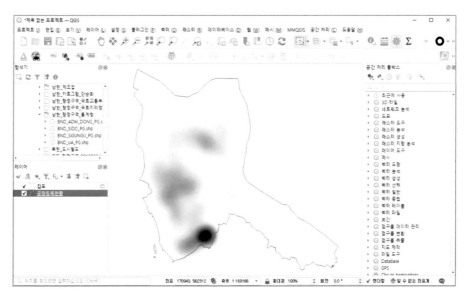

김포의 공장이 어디에 몰려있는지 열지도로 표현됩니다.
학운산업단지와 양촌산업단지가 있는 남쪽에 공장이 집중되어 있다는 점을 확인할 수 있습니다.

국내의 데이터에는 열지도로 표현하면 더 매력적인 경우가 많습니다. 예를 들어 지방행정인허가데이터를 이용해 네컷사진, 마라탕, 탕후루 등의 매장을 지도화하면 어느 지역이 핫플레이스인지 파악할 수 있습니다. 실습했던 공장 분포 또한 제조업 분포를 통해 각 업종별 입지 특성에 대해 파악해볼 수 있는 수업 자료를 만들어볼 수 있습니다.

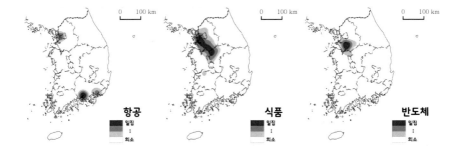

세계의 데이터 중에서도 특정 지역에 집중된 지리적 현상을 표현하는 경우 열지도가 더 매력적이기도 합니다. 예를 들어 해적 발생 지도는 열지도로 표현하게 되면 해적피해가 자주 발생하는 지역을 알아볼 수 있게 됩니다.

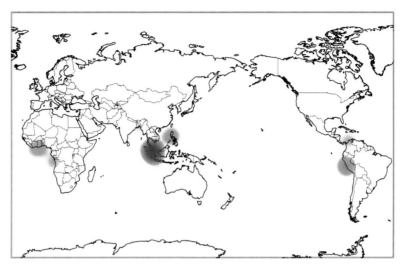

스텝7 카토그램 그리기

예제 : 국가별 감자 수출량

CSV다운로드 ☞ CSV불러오기 ☞ 결합 ☞ 플러그인 설치 ☞ 카토그램

※ go-cart.io에서 카토그램 제작도 가능합니다.

속성정보 준비하기

일반적인 지도는 면적이 넓은 지역을 넓게 표현하는데, 카토그램은 특정한 값에 따라 면적이 크고 작게 표현되도록 왜곡시킨 지도라는 점에서 시각적으로 대단히 특이합니다.

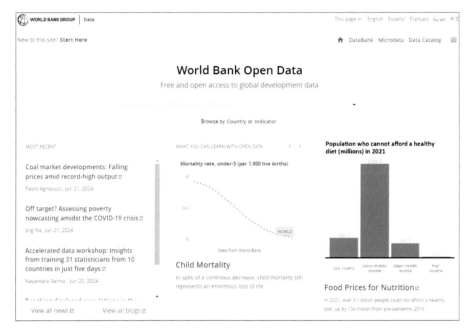

세계은행의 DataBank 웹페이지에서는 국가에 대한 다양한 정보를 제공해줍니다.

항공기가 지구의 기후변화에 미치는 영향이 크기 때문에 항공교통 승각 수를 찾아보겠습니다. Air transport, passingers carried를 검색합니다.

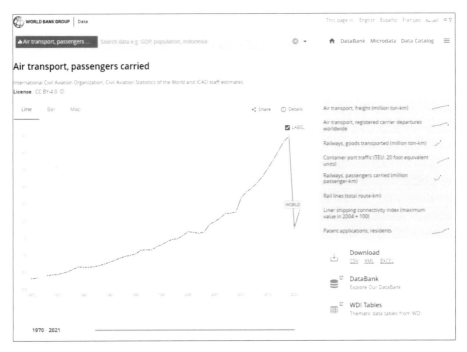

지구적으로 COVID-19의 팬데믹 시기에 급감했다는 사실이 확인됩니다.
다운로드에서 CSV를 선택하여 국가별 항공 승객 데이터를 내려받습니다.

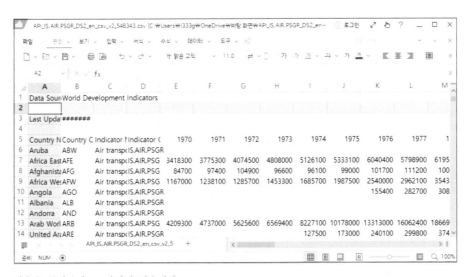

압축을 풀어보면 csv파일이 있습니다.
스프레드시트 형태로 파일이 있다는 것을 알 수 있습니다.

속성정보를 결합하기

카토그램을 작성하고자 하는 지역의 지도에 속성정보를 결합합니다.

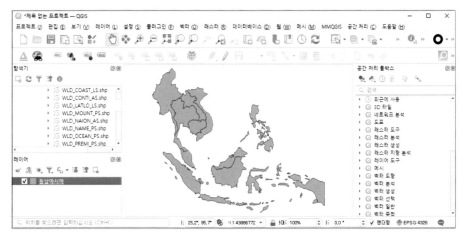

동남아시아 국가로만 구성되어 있는 레이어를 새롭게 만들어줍니다.

국가별 항공 여객 csv 파일을 속성정보만 있는 레이어로 불러옵니다.

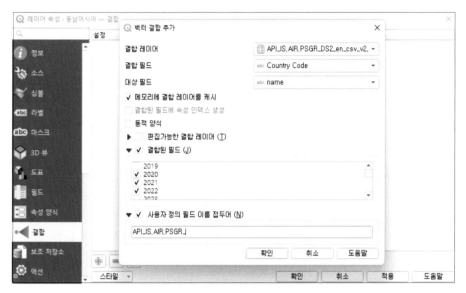

국가의 이름으로 매칭하여 데이터를 결합합니다.

카토그램 플러그인 설치하고 실행하기.

[플러그인] - [플러그인 관리 및 설치]에서 카토그램 플러그인을 설치합니다.

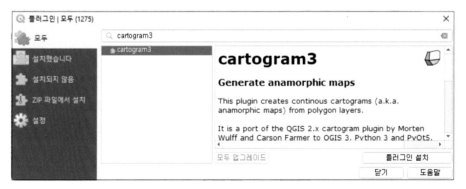

cartogram3 플러그인을 설치합니다.

[벡터] - [cartogram] - [compute cartogram]을 선택합니다.

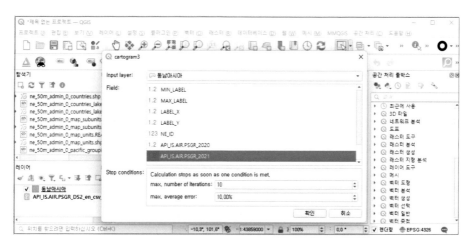

어떤 필드의 값을 기반으로 카토그램을 작성할 것인지 선택합니다.
계산을 멈출때까지 반복할 회수와 오차의 정도를 입력해줍니다.

Tip!

카토그램도 다른 통계와 마찬가지로 NULL이 있으면 계산이 불가능합니다.
따라서 통계를 잘 준비하는 것이 좋습니다.

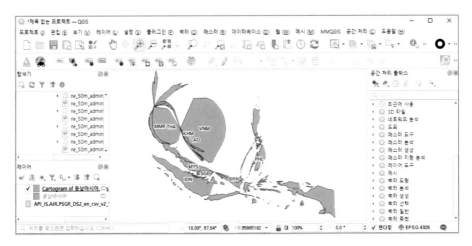

동남아시아의 국가별 항공 승객 수 카토그램이 만들어졌습니다.
형태가 워낙 많이 달라져 어떤 국가인지 파악하기 어렵기 때문에 라벨을 붙이는 것이 좋습니다.

디스이즈

선거 결과를 표현할 때 카토그램을 특히 많이 활용합니다. 국회의원 선거의 경우 실제 국회의원이 몇 명인지가 매우 중요하기 때문입니다. 같은 한 명을 뽑는 선거구라고 하더라도 인구밀도가 낮은 지역구는 일반적으로 훨씬 넓은 편입니다. 따라서 선거구의 넓이로 인한 착시를 줄이기 위해 카토그램은 좋은 대안이 될 수 있습니다.

Doing
Geography

카토그램은 형태를 왜곡시켜서 정보를 전달하는 지도입니다. 따라서 원래의 지도를 잘 알고 있어야 익숙하지 않은 형태로 인한 시각적인 신선함이 크게 제시됩니다. 따라서 우리나라나 세계 등 평소에 자주 접하는 지역을 카토그램으로 그리는 것이 좋습니다. 도형표현도로 나타내도 좋은 값은 거의 카토그램으로 표현이 가능합니다. 특히 면적에 비례하지 않는 값을 카토그램으로 나타내면 왜곡이 크게 나타나 효과가 좋습니다.

우리나라의 공간적 불평등을 다루는 값은 카토그램으로 표현하면 시각적인
효과가 큽니다. 인구분포나 매출 기준 1,000대 기업의 본사 분포 등이 대표적
입니다. 세계지도는 기본 형태가 익숙하기 때문에 카토그램으로 나타내면 시각
적인 효과가 대부분 큽니다. 국가별 양 사육 두수나 국가별 탄소 배출량 등이
대표적입니다.

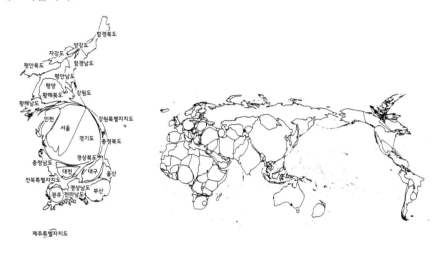

스텝1 중첩

예제 : 중국과 철도망, 하천과 해안선

국가와 철도 불러오기 ☞ 철도에서 국가 잘라내기

국가와 철도 불러오기 ☞ 철도에서 국가 빼기

하천과 해안 불러오기 ☞ 하천하고 해안 합치기

※ 래스터 레이어를 중첩해 계산할 때는 [래스터] – [래스터 계산기]를 활용하는 것이 좋습니다.

잘라내기

중첩은 두 개 이상의 레이어를 이용하여 작업하는 것을 말합니다. 이름도 직관적이고 기능 자체가 어렵지 않기 때문에 쉽게 이해할 수 있습니다.

잘라내기는 두 레이어가 겹치는 부분만 남기는 것입니다. 교집합이라고 생각하면 이해가 쉽습니다. [벡터] – [지리 정보 처리 도구] – [잘라내기(clip)]을 선택하고, 해당하는 레이어를 알맞게 설정하면 됩니다.

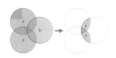

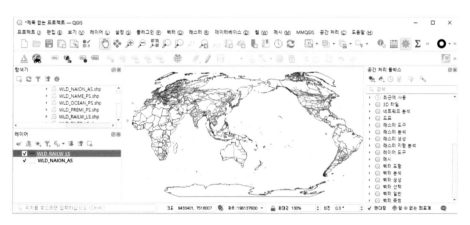

국토지리정보원의 세계지도에서 NAION과 RAILW을 레이어로 불러옵니다.

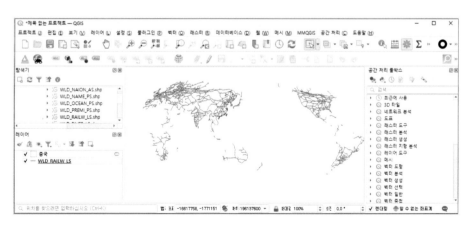

중국만 새로운 레이어로 만들었습니다.

[벡터] - [지리 정보 처리 도구] - [잘라내기(clip)]을 선택합니다.

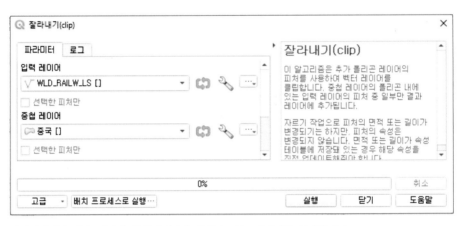

입력레이어에 자를 레이어, 중첩레이어에 범위가 되는 레이어를 선택합니다.

중국의 철도만 잘라낸 새 레이어가 생겼습니다.

빼기

빼기는 두 레이어가 겹치는 부분을 제거하는 것입니다. 차집합이라고 생각하면
이해가 쉽습니다. [벡터] - [지리 정보 처리 도구] - [빼기]를 선택하고, 해당하는
레이어를 알맞게 설정하면 됩니다.

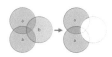

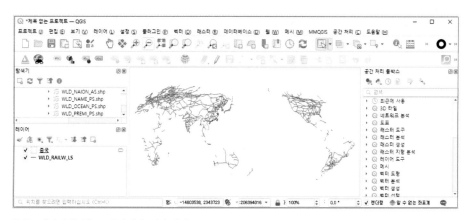

중국 레이어와 철도 레이어가 있습니다.

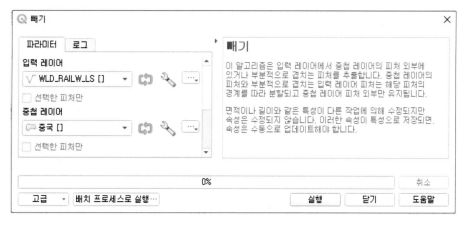

입력 레이어에 철도 레이어, 중첩 레이어에 중국 레이어를 선택합니다.

중국이 빠진 철도 레이어가 새롭게 생겼습니다.

통합

통합은 두 레이어를 합쳐서 새 객체를 만드는 것입니다. 합집합이라고 생각하면 이해가 쉽습니다. [벡터] - [지리 정보 처리 도구] - [통합]를 선택하고, 해당하는 레이어를 알맞게 설정하면 됩니다.

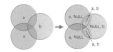

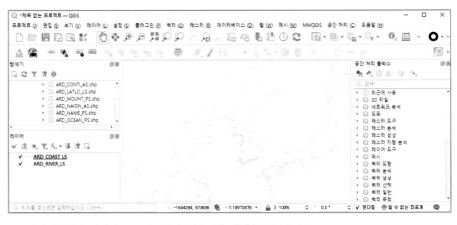

국토지리정보원의 대한민국 주변도에서 해안선과 하천을 불러옵니다.

[벡터] - [지리 정보 처리 도구] - [통합]을 선택합니다.

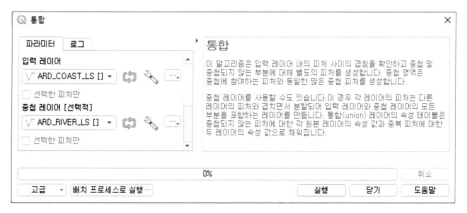

해안선 레이어와 하천 레이어를 선택합니다.

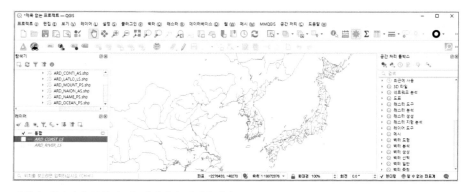

하천과 해안선이 통합된 새 레이어가 생겼습니다.

스텝 2 버퍼

예제 : 광주에서 1,000km 이내 도시를 확인하기

도시 불러오기 ☞ 버퍼 실행

버퍼

버퍼는 일정 거리만큼 떨어진 영역을 계산하는 기능입니다. 간단한 기능이지만 활용할 방법이 매우 많습니다. [벡터] - [지리 정보 처리 도구] - [버퍼]에서 설정하면 됩니다.

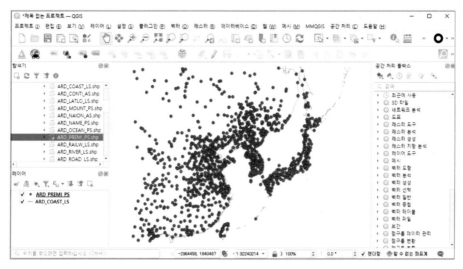

국토지리정보원의 대한민국 주변도에서 해안선인 COAST와 주요 도시인 PREMI를 불러옵니다.

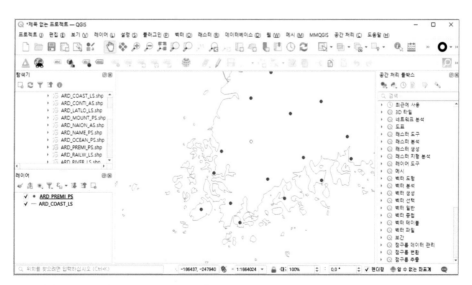

호남 지역의 대도시인 광주를 선택했습니다.

[벡터] – [지리 정보 처리 도구] – [버퍼]를 선택합니다.

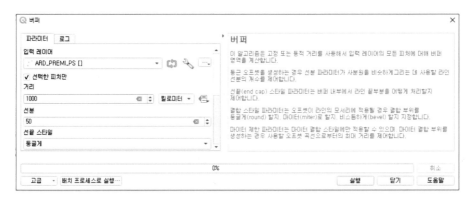

입력 레이어에서 [선택한 피처만]을 체크합니다. 광주만 계산하겠다는 뜻입니다.
거리는 1000km를 입력했습니다.

Tip!

버퍼는 기능은 단순하지만 사용할 수 있는 곳이 매우 많습니다. 역의 위치를
기반으로 역세권을 계산한다거나, 도로를 기반으로 소음 피해가 발생할 곳을
계산할 수 있습니다. 중첩과 결합하면 활용할 방법이 더 많아집니다. 매장의
상권이 아닌 곳을 찾아내면, 새로 시장이 개척될 수 있는 여지가 보입니다.

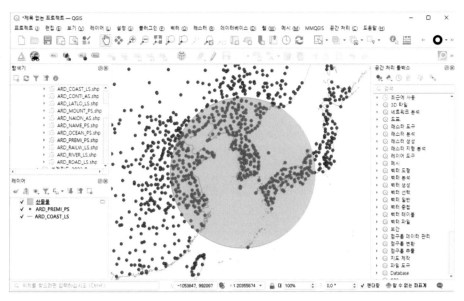

광주를 중심으로 반경 1000km 이내가 표현되었습니다.

버퍼는 역세권이나 상권 등 다양한 분석에 널리 활용하며, 특히 중첩과 결합하면 효과가 더욱 좋습니다. 버퍼는 지구상에서 실제 거리로 계산하기 때문에 GIS의 장점이 드러나는 기능 중 하나입니다. 예를 들어 북한 미사일의 사거리 정보를 표현할 때, 지도에 대한 이해가 없는 경우에는 왼쪽처럼 오류를 범하게 됩니다. 따라서 GIS에서 버퍼를 해야 오른쪽처럼 표현할 수 있습니다.

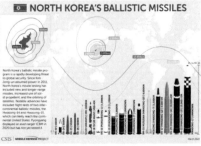

스텝3 개수세기

예제 : 국가별 지진 발생 수

CSV다운로드 ☞ CSV불러오기 ☞ 레이어에서 개수 세기

세고 싶은 지리정보 불러오기

어느 지역에 무엇이 얼마나 있는지 파악해야 할 때 사용하는 기능입니다. 먼저 계산을 실시할 지리정보가 필요합니다.

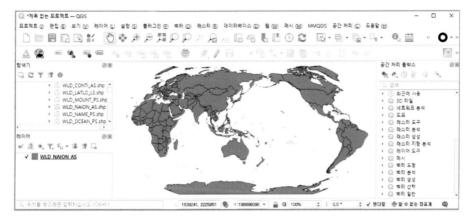

국토지리정보원의 세계지도를 레이어로 불러옵니다.

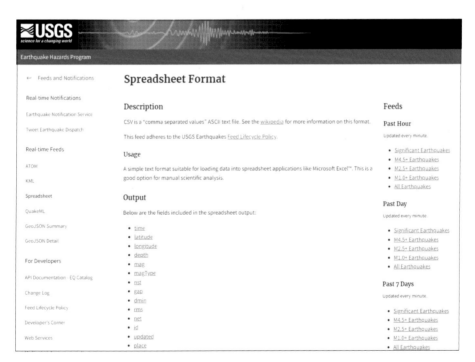

USGS에서 지난 일주일간 발생한 지진 csv 파일을 다운로드합니다.

[레이어] - [레이어 추가] - [구분자로 분리된 텍스트 레이어 추가]를 선택하여 불러옵니다.

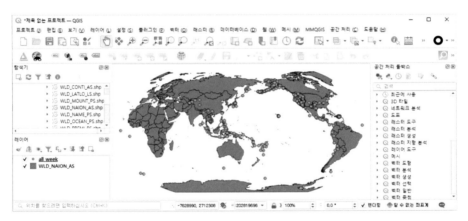

국가 레이어와 지진 레이어가 화면에 보입니다.

Tip!

개수 세기는 포인트의 개수를 세는 것이지만, 가중치를 부여하는 것도 가능합니다. 예를 들어 버스 정류장의 위치에 대한 정보가 있다면 버스 정류장의 수를 셀 수 있지만, 각 버스 정류장에서 타고 내린 승객 수 데이터가 있다면 가중치로 두고 승객 수를 세는 것도 가능합니다.

개수를 계산하기

[벡터] - [분석 도구] - [폴리곤에 포함하는 포인트 개수 계산]을 선택합니다.

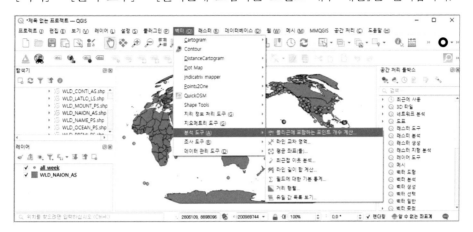

개수 계산은 [공간 처리 툴박스]에서 검색해도 됩니다.

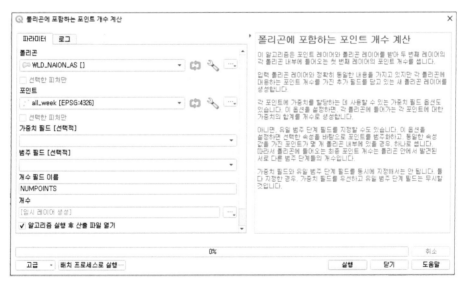

폴리곤에 포함하는 포인트 개수 계산의 설정 화면입니다.

계산의 단위가 되는 지역적인 범위를 폴리곤 레이어로 선택합니다.

개수를 셀 대상이 되는 데이터를 포인트 레이어로 선택합니다.

이러한 경우 포인트 하나하나를 1개로 계산하는데, 가중치 필드를 선택하는 경우 그 필드에 있는 값을 더해줍니다.

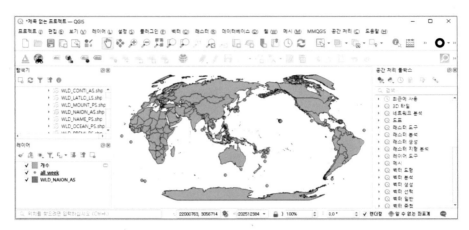

계산의 결과 새로운 레이어가 생성되었습니다.

	FTR_IDN	FTR_CDE	NAT_NAM	NUMPOINTS ▼
1	48	WG001	멕시코	8
2	45	WG001	캐나다	7
3	105	WG001	인도네시아	7
4	109	WG001	중국	7
5	61	WG001	칠레	5
6	120	WG001	아프가니스탄	4
7	57	WG001	아르헨티나	2
8	42	WG001	도미니카공화국	2
9	35	WG001	과테말라	2
10	126	WG001	튀르키예	2
11	53	WG001	볼리비아	2

새로 생긴 레이어에서 [속성 테이블 열기]하면 속성정보를 볼 수 있습니다.

기존 국가 레이어와 다르게 새 필드가 추가되었고, 해당 필드에 지진에 대한 수가 자연수로 표현되어 있습니다. 내림차순 정렬을 하면 지난 주에 지진이 많이 발생한 국가들의 목록을 볼 수 있습니다.

개수 세기는 행정구역 등을 이용하는 경우도 있지만, 버퍼와 결합하면 훨씬 강력합니다. 일정 거리만큼 떨어진 곳이 이내를 범위로 설정할 수 있기 때문입니다. 원자력발전소의 위치와 인구분포에 대한 데이터가 있으면 원자력발전소 반경 5km 이내에 거주하는 주민의 수를 계산할 수 있습니다.

개수 세기의 결과 얻은 값을 표현할 때는 도형표현도나 카토그램으로 하는 것이 좋습니다. 하지만 값을 세는 폴리곤이 정육각형이나 정사각형 격자망인 경우 면적이 모두 일정하기 때문에, 단계구분도로 표현하는 것도 가능합니다.

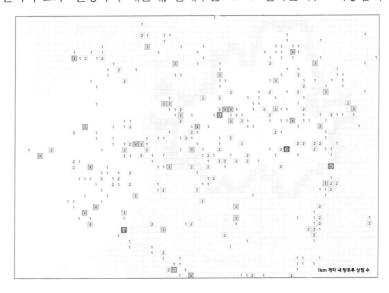

1km 격자 내 탕후루 상점 수

스텝4 중심 찾기

예제 : 국가 중심 찾기

레이어 불러오기 ☞ 중심점 찾기

중심점 찾기

급식실에서 가까운 교실은 먼 교실보다 적은 거리를 이동하기 때문에 밥 먹으러 빨리 갈 수 있는 조건을 갖추었습니다. 인간은 공간을 극복하기 위해서 시간이나 비용을 써야만 합니다. 그래서 가운데는 지리적으로 중요한 의미를 가집니다.

[벡터] - [지오메트리 도구] - [중심점]을 선택하면 중심점을 찾을 수 있습니다.

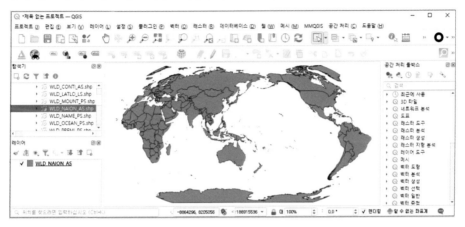

국토지리정보원 세계지도에서 NAION레이어를 불러옵니다..

![디스이즈 지리지식]

가운데를 지리적으로 중심이라고 말하지만, 여러 종류가 있습니다. 중심점은 보통 무게중심을 말합니다. 센터는 동서남북 어디든 가장 멀리 떨어진 지점을 기준으로 한가운데 위치한 지점을 말하고, 메디안은 모든 지점으로부터 이동 거리의 총합이 최소가 되는 지점을 말합니다.

센터는 가장 약한 사람의 접근성을 중시하는 셈이라면, 메디안은 가장 많은 사람의 접근성을 중시하는 셈입니다. 입지를 결정할 때 공간적 형평성이 우선이면 센터, 공간적 효율성이 우선이면 메디안을 중시합니다.

공간에도 철학이 있고, 위치에도 의미가 있습니다. 응급외상센터나 시청처럼 공공성이 강한 기관은 공간적 형평성을, 키즈카페나 대형마트처럼 고객 유치가 중요한 상점은 공간적 효율성을 먼저 고려하게 됩니다.

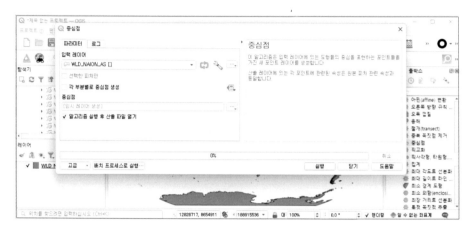

중심점을 찾을 레이어를 선택합니다.

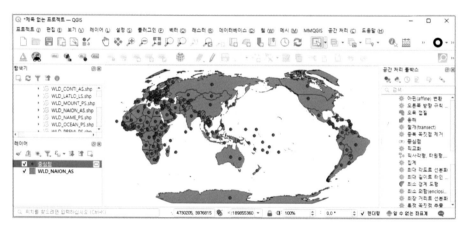

객체별로 중심점을 계산한 레이어가 만들어졌습니다.

　　중심점을 찾는 기능은 간단한 편이지만, 다양하게 응용할 수 있습니다. 예를 들어 [중심점(centroid)]을 실행하게 되면 무게중심을 계산하지만, 인구를 고려하여 무게중심을 계산하면 인구중심을 계산할 수 있습니다. 인구 분포가 변화하는 모습은 인구중심의 이동으로 확인됩니다. [벡터] – [분석 도구] – [평균 좌표들]을 선택하면 인구를 기반으로 인구중심을 계산할 수 있습니다.

우리나라는 동쪽 끝 독도에서 서쪽 끝 비단섬까지, 남쪽 끝 마라도에서 북쪽 끝 유원진까지 동서남북 경위도의 중앙에 해당하는 지점이 양구에 있습니다. 양구는 국토정중앙이라는 지리적 위치를 다양하게 활용하는 사례라고 할 수 있습니다.

국가나 지역별로 중심을 찾아보는 것도 의미 있는 활동이 될 수 있습니다. 예를 들어 미국이나 우리나라의 인구중심이 어떻게 이동했는지 살펴보는 것도 가능합니다. 또한 전남과 충남의 중심을 살펴보면 도청 이전의 맥락을 이해할 때 도움이 됩니다.

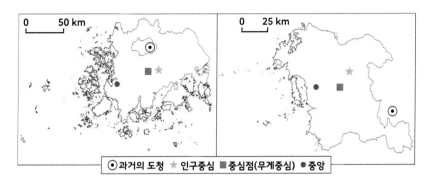

공간정보와 공간분석 수업 전후 비교

학생에게 물어본 질문 (리커트 5점 척도)	수업 전 평균	수업 후 평균	변화량
나는 지리 시간에 친구의 발표를 주의 깊게 듣는다	4.68	4.8	0.12
나는 지리 시간에 나와 의견이 다른 친구의 의견을 존중한다	4.84	4.88	0.04
나는 지리 시간에 내 생각을 적극적으로 표현한다.	4.40	4.36	-0.04
나는 지리 수업 내용이 재미있다.	4.56	4.88	0.32
나는 지리 공부하는 것이 즐겁다.	4.40	4.60	0.20
나는 지리 관련 정보나 책을 찾아 읽는 것을 즐긴다.	3.76	4.20	0.44
나는 지리를 좋아한다.	4.24	4.40	0.16
나는 지리 시간이 재미있다.	4.60	4.64	0.04
나는 지리에 관심이 많다.	4.36	4.40	0.04
지리 관련 직업을 갖는 것은 멋진 일이다.	4.48	4.68	0.20
나의 진로 분야와 지리는 관련성이 있다.	3.96	4.24	0.28
지리와 관련된 직업에 관심이 있다.	3.88	4.24	0.36
지리 공부를 하는 것은 고등학교나 대학교에서 공부하는 데 도움이 된다.	4.68	4.84	0.16
지리는 다른 교과를 공부하는 데 도움이 된다.	4.48	4.56	0.08
지리는 지역을 이해하는 데 도움이 된다.	4.84	4.96	0.12
나의 관심 분야를 개발하는 데 지리는 도움이 된다.	4.20	4.52	0.32
지리 지식은 일상 생활에 도움이 된다.	4.68	4.72	0.04
지리는 꼭 배워야 한다고 생각한다.	4.68	4.88	0.20
나는 지리 내용을 이해할 자신이 있다.	4.24	4.40	0.16
나는 지리가 쉽다고 생각한다.	3.24	3.52	0.28
나는 지리 문제를 잘 풀 수 있다는 자신이 있다.	3.16	3.80	0.64
나는 지리 내용에 대한 이해가 빠르다.	3.60	3.92	0.32

평가 계획 예시

평가내용		평가 요소	채점기준	점수
공간정보 읽기		다양한 투영법으로 제작된 지도 비교 분석 ○ 제시된 지도에 쓰인 투영법의 정확한 명칭 ○ 투영법의 특성에 대한 명확한 서술 ○ 문장 형식의 준수 여부	3개 항목 만족	A
			2개 항목 만족	B
			1개 항목 만족	C
			0개 항목 만족	D
GIS의 기초 기능 실습		공간분석의 기초 기능을 지도로 표현하기 ○ 도곽과 지도 크기의 적절성 ○ 채색의 가시성 ○ 데이터 표현 방법의 적절성 ○ 축척의 적절성 ○ 기호 표현의 적절성 ○ 축척의 표현 여부 ○ 범례의 표현 여부 ○ 지도의 충분한 해상도	8개 항목 만족	A+
			7개 항목 만족	A0
			6개 항목 만족	A-
			5개 항목 만족	B+
			4개 항목 만족	B0
			3개 항목 만족	B-
			2개 항목 만족	C+
			1개 항목 만족	C0
			0개 항목 만족	C-
통계지도 (점지도) 작성		제시된 주제를 점지도로 표현하기 ○ 지오코딩의 정확성 ○ 열지도의 제작 ○ 데이터의 신뢰도 ○ 지리적 시각화의 적절성(기호, 축척, 범례, 채색, 해상도 등을 종합적으로 평가함)	4개 항목 만족	A+
			3개 항목 만족	A0
			2개 항목 만족	B+
			1개 항목 만족	B0
			0개 항목 만족	C
통계지도 (단계구분도) 작성		제시된 주제를 단계구분도로 표현하기 ○ 단계 구분 방식의 적절성 ○ 데이터 표현 방법의 적절성 ○ 데이터의 신뢰도 ○ 지리적 시각화의 적절성(기호, 축척, 범례, 채색, 해상도 등을 종합적으로 평가함)	4개 항목 만족	A+
			3개 항목 만족	A0
			2개 항목 만족	B+
			1개 항목 만족	B0
			0개 항목 만족	C0
나 만 의 주 제 도 제 작	공간 정보 와 공간 분석	○ 수집한 공간정보와 주제의 부합성 ○ 공간정보의 신뢰성 ○ 데이터베이스의 체계성 ○ 공간분석 기법의 적절성 ○ 판단 및 추론의 논리성	5개 항목 만족	A+
			4개 항목 만족	A0
			3개 항목 만족	B+
			2개 항목 만족	B0
			1개 항목 만족	C+
			0개 항목 만족	C0
	지도 의 표현	○ 도곽과 지도 크기의 적절성 ○ 채색의 가시성 ○ 데이터 표현 방법의 적절성 ○ 축척의 적절성 ○ 기호 표현의 적절성 ○ 축척의 표현 여부 ○ 범례의 표현 여부 ○ 지도의 충분한 해상도	8개 항목 만족	A+
			7개 항목 만족	A0
			5~6개 항목 만족	B+
			3~4개 항목 만족	B0
			2개 항목 만족	C+
			1개 항목 만족	C0
			0개 항목 만족	C-

공간정보와 공간분석 학생 사례

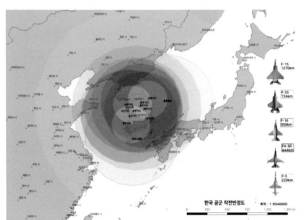

공군에 관심이 많아 공군작전 반경을 표현하였다. 버퍼와 중첩을 활용하였다.

중심에 대해 학습하고 동네에 직접 적용해서 비판적으로 분석하였다.

직접 마트에 가서 먹을거리를 조사하고 결과를 정리하여 제작하였다.

SIMILARITY WITH CASTILIAN IN AUTONOMOUS REGIONS AND SURROUNDINGS OF SPAIN

언어에 관심이 많아 에스파냐어를 분석하였으며, 까딸란과 바스크의 이질성을 표현하였다.

관광 콘텐츠에 관심이 많아 국가별 데이터를 모아 분류하였다.

도시에 관심이 많아 중국 선전의 산업클러스터에 대한 정보를 모아 표현하였다.

안녕하세요.

QGIS에서 제공하는 기능이 다양합니다. 배송 허브를 계산할 수 있는 K-means 클러스터링, 지형의 기초가 되는 DEM, 소방서나 병원의 권역을 도출하는 보로노이 다이어그램, 다른 데이터를 가져오는 API나 WMS 등이 생각납니다. 티소의 인디카트릭스를 이용해 투영법의 특성을 파악해보거나, 위성영상을 이용한 분석도 재미있었습니다. 3D로 지도를 렌더링하거나, 3D프린터를 이용해 모형으로 만들었습니다. 생성형 인공지능 덕분에 API를 사용해 Web GIS를 만드는 것도 많이 어렵지 않게 되었습니다.

평소에도 말이 꽤나 많기에 책에서도 다루고 싶은 예제가 자꾸 생각나서 난처했습니다. 그때마다 초심을 생각했습니다. 간단하게. 얇게. 이 책에서 생략된 부분에 대해 궁금함이나 아쉬움이 생기셨다면 다른 책과 영상을 통해 학습할 준비가 되신 것이라고 생각합니다.

GIS 수업 경험이 사라지지 않게 기록으로 남기라고 말씀해주신 조수익 선생님. 고양국제고등학교에 GIS 수업인 '공간정보와 공간분석'을 개발한 경기도교육청의 박성하 장학사님. 교원 특화 GIS 연수를 진행하셨던 김영훈 교수님. 평소 모르는 것이 있을 때마다 도와준 송주환 조교님이 생각납니다. 최지선의 한준호 선생님이 자가 출판이라는 방법을 알려주셨고, 배동하 선생님과 서태동 선생님의 격려 덕에 원고를 써보게 되었습니다.

엉성하고 모자란 교사와 즐겁게 수업에 참여해줬던 고양국제고 10기, 11기, 12기 학생과 앞으로 수업을 함께할 13기 학생에게도 감사한 마음을 가지고 있습니다.

부산스러운 남편의 옆에서 늘 응원해주는 아내에게 사실 가장 고맙습니다.

많은 분들 덕분에 이런 경험을 해봤습니다. 책이라고 부르기에는 부족한 부분이 상당히 많습니다. 오류는 전적으로 부족한 저의 탓입니다. 마지막 쪽까지 읽어주신 독자분들께 진심으로 감사하다는 말씀을 드리고 싶습니다.